# Le chat et la souris

Dantzig en temps de guerre ; la guerre est encore loin, mais elle empoisonne les brumes de la Vistule et de la Baltique. Un lycée dans le faubourg. Une classe y vieillit ; pas de conférences patriotiques, on la prépare à un appel anticipé sous les drapeaux. Routine, ennui, attente.

Mais en dehors du monde officiel, la classe s'est constitué un univers à elle : au centre l'épave à demi-submergée d'un dragueur de mines polonais sabordé dans la baie. Sur cette épave où chacun plonge au risque de sa vie, un héros surgit : le grand Mahlke : cartilage thyroïde saillant, tignasse rousse, corps anguleux ; dévôt outré de la Sainte-Vierge ; rêve d'obtenir la Croix de Fer ; l'obtient comme « casseur » de blindés par l'intercession de sa sainte patronne ; découvre, quand il a reçu la décoration suprême, l'inanité de toutes choses, disparaît où il avait surgi, dans l'épave de son dragueur de mines. Telle est la « souris ».

Le « chat », c'est le narrateur dans l'ombre du héros ; un narrateur que poursuivent une incertitude et un remords : a-t-il successivement admiré, aimé, haï, envié, copié, méprisé le grand Mahlke, l'a-t-il pour finir envoyé à la mort, le jour où il reconnut que son héros n'était plus admirable ?

Une œuvre où l'art littéraire est une victoire symbolique de la vitalité sur le désespoir et, à ce titre, une œuvre tonique et neuve.

Écrit après *le Tambour* et avant *les Années de chien, le Chat et la Souris* est le deuxième volet de la « trilogie dantzigoise ».

*Né en 1927 à Dantzig, Günter Grass étudia d'abord la peinture et la sculpture avant de se tourner vers la littérature. C'est au cours d'un long séjour à Paris qu'il écrivit son premier roman,* le Tambour, *qui, traduit en onze langues, lui assura une fulgurante renommée. Tandis qu'il confirmait son génie de conteur et de satiriste dans des œuvres romanesques comme* le Chat et la Souris, les Années de chien, Anesthésie locale, *et plus récemment dans* le Turbot *et* Une rencontre en Westphalie, *il a su, par ailleurs, évoquer sans contrainte ses expériences et ses préoccupations politiques dans les* Évidences politiques, le Journal d'un escargot *et, dans* les Enfants par la tête, *les problèmes qui retiennent aujourd'hui son attention.*

# Du même auteur

AUX MÊMES ÉDITIONS

Essais de critique
*(à paraître)*

Les Enfants par la tête
*récit, 1984*

Une rencontre en Westphalie
*roman, 1981*

Le Turbot
*roman, 1979*
*et coll. Points-Roman, 1981*

Journal d'un escargot
*récit, 1974*

Théâtre
*1973*

Anesthésie locale
*roman, 1971*

Évidences politiques
*collection « Combats », 1969*

Les Plébéiens répètent l'insurrection
*théâtre, 1968*

Les Années de chien
*roman, 1965*
*et coll. Points-Roman, 1981*

Le Chat et la Souris
*roman, 1962*

Le Tambour
*roman, 1961*
*et coll. Points-Roman, 1980*
*(Prix du meilleur livre étranger)*

*Günter Grass*

# Le chat et la souris

roman

TRADUIT DE L'ALLEMAND
PAR JEAN AMSLER

*Éditions du Seuil*

TEXTE INTEGRAL.

EN COUVERTURE : illustration Claire Forgeot.

Titre original : *Katz und Maus.*


ISBN 2-02-006771-4.
(ISBN 1re publication : 2-02-001442-4.)

# I

... et un jour que Mahlke savait déjà nager, nous étions couchés dans l'herbe à côté du terrain de thèque. J'aurais dû aller chez le dentiste, mais pas moyen, j'étais trop difficile à remplacer comme batteur. Ma dent me taraudait. Un chat traversa le terrain en diagonale et on ne lui lança pas de pierres. Quelques-uns mâchaient ou tortillaient des brins d'herbe. Le chat appartenait au gardien du stade et était noir. Hotten Sonntag frottait sa batte avec une chaussette de laine. Ma dent s'imposait. Le tournoi durait depuis deux heures. Nous avions encaissé et attendions le match-retour. Jeune, ce chat, mais pas un petit chat. Sur le stade, on se marquait des buts au *handball* pour les deux camps. Ma dent se répétait. Sur la piste de cendrée, des sprinters travaillaient leur départ ou étaient nerveux. Le chat faisait des détours. Devant le ciel, un trimoteur bruyant rampait avec lenteur, mais ma dent faisait encore plus de bruit. Le chat noir du gardien, derrière les brins d'herbe, montrait une bavette blanche. Mahlke dormait. Entre les Cimetières réunis et l'École Technique, le crématoire fonctionnait par vent d'est. Mallenbrandt, le prof, siffla : changement d'atelier, balle au prisonnier. Le chat s'entraînait. Mahlke dormait ou s'en donnait l'air. A côté de lui, j'avais mal aux dents. Le chat se rapprochait en faisant son footing. La pomme d'Adam de Mahlke était remarquable; grande, toujours en mouvement, jetant une ombre portée. Entre moi et Mahlke, le chat noir du gardien du stade se rasait pour bondir. Nous formions un triangle. Ma dent s'était tue, n'insistait pas : car la pomme d'Adam de Mahlke devint pour le chat une souris. Le chat était si jeune, la pomme si mobile... en tout cas le chat sauta à la gorge de Mahlke; ou bien quelqu'un d'entre nous prit le chat et le mit au cou de Mahlke; ou bien ce fut moi, mal aux dents ou pas, qui pris le chat, lui montrai la souris de Mahlke : et Joachim Mahlke cria, mais il n'en eut que des égratignures insignifiantes.

Quant à moi qui mis ta souris sous le nez du chat, et de tous les chats, il faut que j'écrive à présent. Même si nous étions tous deux imaginaires, il le faudrait. Le type qui, pour raisons professionnelles, nous a inventés m'oblige à reprendre en main sans arrêt ta pomme d'Adam, histoire de la reconduire sur les lieux qui la virent vaincre ou mourir; or donc je laisse primo ton tournevis sautiller sur ta thyroïde, puis je jette au vent de nord-est, par-dessus la tête de Mahlke, un peuple de mouettes éparses. Le temps qu'il fait ? Disons estival et beau fixe; je suppose que cette épave était un ci-devant bateau de la classe Czaika, je donne à la Baltique la nuance de ce verre épais dont on fait les siphons puis, attendu que le lieu de l'action est au sud-est de la balise marquant l'entrée du chenal de Neufahrwasser, je fais couler encore de l'eau en rigoles sur la peau de Mahlke, grenue ici et râpeuse là; ce n'était pas la peur, mais le frisson habituel qui suit un bain trop long : sa peau en perdait son satin.

De plus, aucun d'entre nous — nous étions accroupis, maigres, avec des bras d'araignée, les genoux écartés, sur les restes de la passerelle — n'avait demandé à Mahlke de retourner une fois encore dans la proue du dragueur de mines échoué ni dans la chambre des machines contiguë, située au milieu du navire, pour y démonter à l'aide de son tournevis quoi ? Quelque chose, une vis, une roue dentée de rien du tout, ou bien un truc idiot, une plaque de cuivre jaune, écrite serré, portant les indications de service de telle ou telle machine, en polonais et en anglais. Car l'endroit où nous étions accroupis en brochette, c'étaient les superstructures d'un ancien dragueur de mines polonais de la classe Czaika, lancé à Modlin, achevé à Gdynia, lequel s'était échoué l'année précédente au sud-est de la balise d'atterrage, hors du chenal par conséquent et sans gêner le trafic.

Depuis, la fiente de mouette y séchait sur la rouille. Par tous les temps, luisantes comme vaseline, une perle de verre en guise d'œil sur le côté, elles passaient en rase-motte, à portée de la main, par dessus l'habitacle du compas, puis montaient en flèche confusément et, selon un plan indéchiffrable, éjectaient au passage leur excrétion glaireuse; jamais elles ne mettaient dans la mer, mais toujours sur la rouille des superstructures. Les excrétions persistaient, durcies, informes, crayeuses, en petits grumeaux côte à côte, en petits tas. Et, quand nous étions sur le bateau, il y avait toujours des ongles d'orteils, de doigts, pour essayer de détacher la fiente. C'est pourquoi nous avions tous les ongles cassés, et pas — sauf Schilling, qui se les rongeait toujours et n'aurait jamais pu se gratter — parce que nous nous rongions les ongles. Seul Mahlke avait des ongles longs, jaunâtres à force d'avoir plongé, et il les conservait à leur longueur en évitant de les ronger comme de gratter la fiente de mouette. Il était aussi le seul qui ne mangeât point de fiente détachée tandis que nous, comme ça se présentait, nous mâchions de petits grumeaux craquants comme une poudre de coquillages et les crachions ensuite, écume visqueuse, par-dessus bord. Ça n'avait pas de goût, ou bien un goût de plâtre, ou bien de farine de poisson, ou bien de tout ce qu'on s'imaginait : de bonheur, de filles, de Bon Dieu. Winter, qui avait une bonne voix, ramenait sa science : « Savez-vous que les ténors mangent de la crotte de mouette tous les jours ? » Souvent les mouettes happaient au vol nos crachats calcaires et ne s'apercevaient sûrement de rien.

Quand, peu après le début de la guerre, Joachim Mahlke eut quatorze ans, il ne savait ni nager ni aller à bicyclette, n'avait rien de remarquable, pas même trace de la pomme d'Adam qui plus tard devait attirer le chat. Il était dispensé de gymnastique et de natation, parce qu'il avait en produisant des certificats prouvé qu'il était déficient. Avant même que Mahlke ait appris à monter à bicyclette — tableau : les oreilles écartées, écarlates, les genoux tordus sur le côté, pistonnant de haut en bas en haut, grotesque

— il s'inscrivit pendant la saison d'hiver à la piscine couverte de la Ville-Basse pour apprendre à nager; mais il ne fut d'abord admis qu'à nager à sec avec les gamins de huit à dix ans. L'été suivant, il en était encore au petit bain. Le maître-nageur des bains de Brösen — une silhouette classique de maître-nageur, le corps en bouée, de maigres jambes sans un poil, sous le sémaphore garni de fanions — dut lui faire recommencer les mouvements dans le sable, puis le prendre à la corde. Mais, comme chaque après-midi nous lui filions sous le nez et racontions au retour les prodiges du dragueur de mines échoué, il fut pris d'un élan formidable et, en deux semaines, il sut nager.

Avec gravité et application, il évoluait entre l'estacade, le grand plongeoir et les bains, voulant acquérir quelque endurance à la nage; puis il se mit à travailler la plongée sur le brise-lames de l'estacade; d'abord il remonta de simples moules de la Baltique, puis il alla chercher une bouteille de bière remplie de sable qu'il jetait assez loin au large. Mahlke réussit probablement vite à remonter la bouteille à tout coup; en effet, lorsqu'il commença plus tard à plonger avec nous sur l'épave, il n'était plus un débutant.

Il mendia l'autorisation de venir avec nous à la nage. Nous allions justement, un groupe de six ou sept, mettre le cap sur notre objectif quotidien et nous procédions à des pré-ablutions circonstanciées dans le rectangle peu profond du bain des familles; voilà Mahlke, sur la passerelle du bain Messieurs : « Emmenez-moi. J'y arriverai sûrement. »

Il avait pendu à son cou un tournevis; ça faisait diversion à son gaviot saillant.

« Bon! » Mahlke vint avec nous, prit la tête entre le premier et le second banc de sable et nous ne nous donnâmes pas mal de le rattraper : « Ça lui passera. »

Quand Mahlke nageait la brasse, le tournevis dansait nettement, car l'objet avait un manche de bois, entre ses omoplates. Quand Mahlke nageait sur le dos, le manche de bois brinqueballait sur sa poitrine, mais ne cachait jamais complètement le maudit cartilage qu'il avait entre la mâchoire inférieure et les clavicules, qui faisait saillie comme une nageoire dorsale et laissait derrière lui un sillage.

Et alors Mahlke nous montra ce qu'il savait faire. Il plongea plusieurs fois coup sur coup avec son tournevis et remonta ce qu'il avait pu dévisser en deux ou trois plongées : des couvercles, des pièces de bordé, un fragment de la dynamo; puis il trouva en bas une corde et s'en servit, bien qu'elle fut rongée, pour haler hors du gaillard d'avant un extincteur portatif; et l'engin — produit allemand, d'ailleurs — était encore en ordre de marche; Mahlke nous le démontra, fit jaillir la mousse, nous montra comment on éteint à la mousse, entreprit gravement d'éteindre à la mousse une mer vitreuse. Dès le premier jour, il s'était imposé.

Les flocons de mousse formaient encore des îles et des bandes étirées sur la houle plate au souffle égal; ils attiraient peu de mouettes, s'aplatissaient et dérivaient comme une crème Chantilly déflorée en direction de la plage; alors Mahlke fit la pause, s'accroupit en tailleur à l'ombre de l'habitacle et c'est alors, non, c'était déjà longtemps avant, encore avant l'agonie sur le pont des lambeaux de mousse qu'un souffle d'air faisait trembler, c'est alors qu'il lui vint cette peau rétrécie et grenue.

Mahlke grelottait, faisait pistonner sa gorge; et son tournevis dansait sur ses clavicules secouées. Le dos de Mahlke, surface écarlate à partir des épaules, était marbré de plaques blanches; il pelait toujours à neuf de part et d'autre de sa colonne vertébrale saillante comme une râpe; il y venait des hérissements, il y courait des frissons. Des lèvres jaunâtres bordées de bleu découvraient ses dents qui claquaient. Ses grandes mains délavées s'efforçaient de serrer ses genoux qu'il avait à plusieurs reprises écorchés contre les cloisons couvertes de coquillages; il cherchait de cette manière à opposer une résistance à son corps, à ses dents aussi.

Hotten Sonntag — ou bien était-ce moi ? — le frictionna : « Allons, mon vieux, ne ramène plus rien. Faut qu'on rentre. » Le tournevis se fit une raison.

Pour l'aller, nous mettions vingt-cinq minutes en partant du môle, trente-cinq en partant de la baignade. Il fallut bien trois quarts d'heure pour le retour. Il était peut-être crevé, n'empêche qu'il fut sur le granit du môle une grande minute avant nous. Par la suite, il conserva cette avance du premier jour. Chaque fois, avant d'atteindre la péniche — c'est ainsi que nous appelions entre nous le dragueur de mines — Mahlke avait déjà plongé une fois et, quand nos mains de laveuses se tendaient à intervalles assez réguliers vers la rouille et la fiente de mouette ou les affûts surplombants, il nous montrait quelque charnière, quelque chose qui s'était facilement laissé détacher, sans un mot. Déjà il grelottait malgré la précaution qu'il avait prise, depuis notre deuxième ou troisième sortie, de s'enduire généreusement d'un gâchis de Nivéa; car Mahlke avait pas mal d'argent de poche.

Mahlke était enfant unique.

Mahlke était à demi-orphelin.

Mahlke, son père était mort.

Mahlke portait hiver comme été des bottines hautes à l'ancienne mode qu'il devait avoir héritées de son père. Un lacet de bottine montante noire fixait le tournevis au cou de Mahlke.

C'est seulement à présent que je m'en souviens : outre le tournevis, Mahlke avait des raisons de porter au cou autre chose; mais le tournevis était plus frappant.

Probable qu'il l'avait toujours eue, mais nous n'y avions pas pris garde; en tout cas dès le jour où Mahlke, à la baignade, apprit à nager à sec et tracer avec ses pieds des figures dans le sable marin, il portait au cou une chaînette d'argent où pendait un argent catholique : la Vierge. Jamais, même pendant la classe de gym, Mahlke n'ôtait de son cou le pendentif; en effet, à peine eût-il commencé à pratiquer la nage à sec et la natation à la piscine d'hiver de la Ville-Basse qu'il se pointa aussi à notre salle de gym et ne présenta plus de certificat signé par un quelconque médecin de famille. Ou bien le pendentif disparaissait dans l'encolure de son maillot de gym, ou bien la Vierge prenait place juste au-dessus de la bande transversale rouge, sur le blanc du tricot.

Mahlke ne suait pas, même aux barres parallèles. Il n'évitait pas davantage les exercices au cheval d'arçon qu'exécutaient seulement les trois ou quatre meilleurs du premier groupe; sa carcasse osseuse en pagaïe voltigeait du tremplin par-dessus le cuir allongé et retombait avec la chaînette, la Vierge, de travers sur le tapis-brosse dont il soulevait la poussière. Quand il faisait le petit soleil à la barre fixe — et il réussit plus tard, malgré une attitude défectueuse, à exécuter deux rotations de plus que Hotten Sonntag, notre meilleur gymnaste — quand donc Mahlke arracha ses trente-sept rotations, le pendentif lui était sorti de l'encolure et l'objet d'argent fit trente-sept fois la volte, toujours en avant des cheveux qu'il avait châtain moyen, autour de la barre grinçante sans se détacher du cou et prendre le large; car Mahlke, outre que sa gorge faisait sabot, avait aussi un occiput surplombant qui, aux premières racines des cheveux, partait nettement en arrière et retenait la chaînette déchaînée par les petits soleils.

Le tournevis recouvrait le pendentif, et le lacet de soulier chevauchait des segments de chaînette. Cependant l'outil ne supplantait pas le pendentif, d'autant que l'objet à manche de bois n'était pas admis dans la salle de gym. Notre prof de gym, un certain professeur Mallenbrandt — il était célèbre dans les milieux gymniques parce qu'il avait écrit un règlement décisif pour le jeu de thèque — interdit à Mahlke de porter le tournevis suspendu au lacet pendant la classe de gym. L'amulette au cou de Mahlke ne fut jamais contestée par Mallenbrandt. En sus de l'éducation physique et de la géographie, il enseignait aussi la religion, et jusqu'à la deuxième année de guerre il s'entendit à diriger vers la barre fixe et les parallèles les restes d'un club gymnique d'ouvriers catholiques.

Donc le tournevis devait rester en souffrance au vestiaire, pendu au porte-manteau par-dessus la chemise, tandis que la Vierge d'argent légèrement usée, enchaînée au cou de Mahlke, recevait licence d'assister Mahlke dans de périlleux exercices.

Un tournevis banal : bien en main et bon marché. Souvent, avant de pouvoir détacher et remonter une menue plaquette, pas plus grande qu'un nom propre au montant d'une porte, fixée par deux vis, Mahlke devait plonger cinq ou six fois, surtout quand la plaquette adhérait à des pièces métalliques et que les deux pas de vis avaient rouillé. En revanche, quelquefois, il arrivait à forcer des plaques assez grandes, portant un texte prolixe, dès sa deuxième plongée, en utilisant le tournevis comme levier : les vis s'arrachaient alors du revêtement de bois pourri, et il exposait son butin sur la passerelle. Négligemment, il collecta les plaquettes; il en a beaucoup donné à Winter et à Jürgen Kupka lesquels entassaient avec frénésie tout ce qui peut se dévisser, même les plaques de rues et les plaques des cabinets publics; il n'emportait chez lui que les pièces en rapport avec son bric-à-brac personnel.

Mahlke se rendait la vie dure : tandis que nous étions à somnoler sur la péniche, il travaillait sous l'eau. Nous grattions le guano de mouette, nous devenions brun cigare, et ceux qui étaient blonds devenaient blond paille; en pareil cas, Mahlke ramassait au plus un nouveau coup de soleil. Quans nous suivions le trafic des navires au Nord de la balise d'atterrage, lui tenait les yeux immuablement baissés : paupières rougies, légèrement enflammées, avec peu de cils, ma foi, des yeux bleus qui ne devenaient curieux que sous l'eau. Plusieurs fois Mahlke revint sans plaquette, les mains vides, son tournevis brisé ou faussé sans remède. Il le montra et fit impression. Le geste dont il lança l'objet dans la mer par-dessus son épaule n'était inspiré ni par une déception plate ni par une fureur gratuite. Jamais Mahlke ne jetait derrière lui un outil hors d'usage avec une indifférence simulée ou effective. Même quand il jetait, cela voulait encore dire : me voilà par l'autre face!

... et une fois — un navire-hôpital à deux cheminées avait embouqué le chenal et, après une hésitation brève, nous avions identifié le *Kaiser* du Service maritime de Prusse orientale, Joachim Mahlke descendit sans tournevis dans le gaillard d'avant, disparut par l'écoutille ouverte, vert ardoise, que l'eau recouvrait à peine, se pinça le nez à deux doigts; ce fut sa tête qui plongea la première avec ses cheveux plats peignés par l'eau en une raie axiale; le dos et le derrière suivirent l'effort des bras, ses jambes ruèrent un coup dans le vide, puis la plante de ses pieds prit appui obliquement vers le bas au rebord de l'écoutille, et il s'enfonça dans le ténébreux aquarium froid où les hublots ouverts vomissaient un flot de lumière : épinoches nerveuses, un essaim immobile de lamproies, les hamacs du carré de l'équipage, tanguant et encore amarrés à leurs places, feutrés et festonnés de varech en houppes, où des harengs avaient leur nursery. Très rarement, une merluche égarée. Anguilles, selon la rumeur; jamais de flétans.

Nous tenions nos mains à nos genoux tremblotants, écrasions le guano en bouillie, goûtions un intérêt médiocre, à demi-las, à demi-fascinés, comptions les cotres de marine évoluant en formation, nous attachions à la fumée toujours verticale que traçaient les cheminées du navire-hôpital, échangions des regards latéraux — il restait bien longtemps en bas — cercles de mouettes; la vague gargouillait sur l'avant, se brisait aux embrasses de la pièce de chasse démontée; clapotis derrière la passerelle, là où entre les manches à air l'eau revenait sur elle-même et léchait sans trêve les mêmes rivets; calcaire sous l'ongle; démangeaisons de la peau sèche; dix-sept peupliers entre Brösen et Glettkau — hop! il était là : le menton cyanosé, les pommettes jaunâtres, il arrachait l'eau de l'écoutille, la raie au milieu, il trébuchait dans l'eau jusqu'aux genoux parmi les éclaboussements, sur l'avant, happait les embrasses, se mettait à genoux; son regard noyé restait fixe, et nous dûmes le tirer sur la passerelle. L'eau lui ruisselait encore du nez et de la bouche qu'il nous montra l'objet : un tournevis d'acier d'une seule pièce. Outil anglais. Estampillé dessus : Sheffield. Pas trace de rouille, pas de marques d'usage, encore protégé par la couche de graisse : l'eau y roulait en sphères.

Ce tournevis pesant, disons incassable, Joachim Mahlke

le porta plus d'un an, même quand nous n'allions plus à la péniche, ou plus rarement, tous les jours, pendu à son cou par le lacet de soulier; il lui vouait, bien qu'il fût catholique ou parce qu'il l'était, une sorte de culte; par exemple, avant la classe de gym, il donnait l'objet en garde au professeur Mallenbrandt, car il craignait les voleurs, et il emportait l'outil à la chapelle Sainte-Marie; car Mahlke n'allait pas seulement à la messe le dimanche, il allait en outre, avant l'heure de la classe, à l'office du matin de la chapelle du Chemin de la Marine, en dessous de la cité coopérative de Nouvelle-Écosse.

Lui et son tournevis anglais n'avaient qu'un saut à faire jusqu'à la chapelle Sainte-Marie : sortir de l'Allée de l'Est, descendre le Chemin des Ours. Beaucoup de deux-étages, même des villas à toit biplan, avec portail d'entrée à colonnes et fruits en espalier. Puis, sur deux rangs, la cité, non crépie ou crépie, avec des taches d'humidité. A droite tournait le tramway et avec lui, le caténaire, devant un ciel généralement nuageux. A gauche, dans le sable, maigres jardins ouvriers des cheminots : tonnelles et cabanes à lapins en bois rouge noirâtre tiré de wagons réformés. Plus en arrière, les signaux des voies allant au port franc. Silos, grues mobiles ou ankylosées. Dépaysées, hautes en couleur, les superstructures des cargos. Persistaient les deux navires de ligne gris, en pièces montées à l'ancienne mode, le dock flottant, la fabrique de pain Germania; et, chargés d'argent, à mi-câble, quelques ballons captifs au doux tangage. Mais à main droite, mordant sur l'ancienne école Hélène-Lang, devenue école Gudrun, qu'à son tour cachait l'enchevêtrement métallique des chantiers navals de Schichau à l'exception de la grande grue-mouton, des terrains de sport bien entretenus, des buts repeints à neuf, sur le gazon ras l'entrelacs blanc des surfaces de réparation : dimanche, Blaugelb contre Schellmühl 98 — pas de tribune, mais une salle de gym moderne peinte en ocre clair, aux fenêtres hautes, que chevauchait cependant, assez choquante, une croix goudronnée sur toit refait en tuiles rouges; car la chapelle Sainte-Marie était l'ancienne salle de gym du Club Gymnique Nouvelle-Écosse, qu'on avait dû aménager en église de fortune parce que le Sacré-Cœur était trop loin et que les gens de Nouvelle-Écosse, de Schellmühl et de la Cité entre l'Allée de l'Est et l'Allée de l'Ouest, en majorité des ouvriers des chantiers navals, des employés des Postes et des cheminots, avaient des années durant envoyé leur obole à Oliva où était l'évêque, jusqu'au jour — c'était encore au temps de l'État libre de Danzig — où la salle de gym fut rachetée, remaniée et consacrée.

En dépit d'une statuaire polychrome convulsée et de trumeaux décoratifs provenant des caves et débarras de presque toutes les églises paroissiales du diocèse, ou même d'offrandes privées, le caractère salle de gym restait flagrant et indéracinable; même l'odeur d'encens et le parfum des cierges n'arrivaient pas toujours, n'arrivaient jamais assez à noyer le relent moisi de la craie et du cuir gymniques; irréductiblement, la chapelle restait comme enduite d'avarice évangélique, puait la sobriété hagarde d'un oratoire collectif.

A l'église du Sacré-Cœur, pile de briques à clochetons

datant de la fin du dix-neuvième, située à l'écart des cités, en tirant sur la gare de banlieue, le tournevis en acier de Joachim Mahkle aurait juré comme un blasphème. A la chapelle Sainte-Marie, Mahlke eût pu d'un cœur assuré porter à découvert son outil qualité anglaise : la petite chapelle au sol soigné de linoléum, aux vitres laiteuses à partir du plafond, aux amarrages de fer, bien proprement alignés dans le sol, qui naguère avaient assuré la barre fixe, au plafond rayé par les planches de coffrage, béton naturel, où jadis les anneaux, le trapèze et la demi-douzaine de cordes à grimper s'ancraient par des queues de cochon, la petite chapelle était, bien que dans tous les coins s'érigeât, peint et doré, du plâtre bénisseur, une maison de Dieu si objective en sa moderne froideur que le tournevis d'acier pendu à l'air libre qu'un lycéen priant, puis communiant, jugeait nécessaire de laisser trinqueballer devant son sternum, n'aurait jamais douloureusement étonné les rares fidèles venus à l'office matinal de monsieur l'Abbé Gusewski et de son enfant de chœur abruti de sommeil — c'était bien souvent moi.

C'est faux. L'objet n'aurait pas échappé à mes regards. Quand j'étais de service à l'autel, même pendant les prières au pied de l'autel, je tâchais pour divers motifs de te garder à l'œil : mais tu ne voulais pas faire une histoire, tu gardais le truc pendu au lacet sous ta chemise, et c'est pourquoi tu avais, sur l'étoffe de ta chemise, ces taches de graisse bien visibles qui copiaient vaguement la forme du tournevis. Il était agenouillé, vu de l'autel, au second banc de la rangée gauche et, les yeux ouverts, gris-bleu je pense, le plus souvent enflammés de conjonctivite par la nage et la plongée, il braquait sa prière en direction de la Vierge, sur l'autel de Marie.

... et un jour — je ne sais plus de quel été — c'était pendant les grandes vacances, sur la péniche, peu après l'affaire de France, ou était-ce l'été d'après ? — un jour de chaleur moite, où le bain des familles grouillait, fanions pendaient, viandes ballonnaient, par gros débit aux kiosques de rafraîchissements ; on se brûlait la plante des pieds sur les chemins en fibre de coco, devant les cabines de bain pleines de petits rires étouffés, parmi les enfants déchaînés : à qui se roulerait, se barbouillerait, se couperait au pied ; et au beau milieu de cet élevage qui a aujourd'hui vingt-deux ans, sous la tutelle d'adultes courbés, un môme de quelque trois ans battait d'un bois monotone un tambour d'enfant en fer battu, si bien que l'après-midi devenait une forge infernale — nous tirâmes au large pour gagner à la nage notre péniche, nous avions quitté la plage, nous étions en route visibles à l'hypothétique longue-vue du maître-baigneur, six têtes qui allaient diminuant ; et une détachée en tête, la première au but.

Nous nous jetâmes à plat sur la rouille et le guano brûlants malgré la brise ; nous n'avions pas encore bougé pied ni patte que Mahlke avait déjà plongé deux fois. Il reparut, la main gauche chargée : ayant prospecté le gaillard d'avant et le poste de l'équipage, dans ou sous les hamacs à demi pourris, flottant mollement ou tendus, parmi des essaims d'épinoches scintillantes, entre les forêts de varech et les lamproies farfouilleuses, ayant râclé et, dans le ci-devant sac de marin, devenu forêt vierge, du matelot Witold Doszynski ou Liszinski, trouvé une plaquette de bronze grande comme la main portant d'un côté, sous un aigle polonais en relief, le nom du possesseur ainsi que la date de la distinction, au revers le portrait en relief d'un général moustachu; une fois un peu frottée avec du sable et du guano granuleux, la plaque disait par son inscription circulaire que Mahlke avait ramené à l'air le portrait du maréchal Pilsudski.

Quinze jours sans désemparer, Mahlke plongea pour chasser la plaquette; il trouva encore une pièce-souvenir en forme d'assiette en étain, rappel d'une régate à la voile disputée en l'année trente-quatre sur la rade de Gdingen et, à mi-bateau, en avant de la chambre des machines, dans le carré des officiers, exigu et difficilement accessible, cette médaille d'argent grande comme une pièce d'un mark, munie d'œillets pour être suspendue, dont le revers anonyme était plat et usé, l'avers richement travaillé et orné : le haut-relief de la Vierge à l'Enfant.

Il s'agissait, au dire de l'inscription également en relief, de la célèbre Matka Boska de Czenstochowa; et Mahlke eut garde de ne point nettoyer l'argent, laissant à l'objet sa patine noirâtre, lorsqu'il comprit, de retour sur la passerelle, ce qu'il avait remonté et que nous lui offrîmes du sable marin pour le nettoyage.

Mais tandis que nous étions encore en pleine controverse à qui voudrait voir briller l'argent, il était déjà sur ses genoux dans l'ombre de l'habitacle et déplaçait sa trouvaille devant ses genoux osseux jusqu'à trouver l'angle utile pour ses yeux baissés dans la prière. Nous fûmes sur le point de rire quand, grelottant et bleuâtre, il fit de ses doigts aux extrémités délavées un signe de croix, tenta de remuer ses lèvres tremblantes en forme de prière et derrière l'habitacle du compas lança, comme un chapelet d'os entrechoqués, des bribes de latin. Aujourd'hui encore, je crois que c'était déjà un extrait de sa séquence favorite, celle qu'on entend seulement le vendredi avant les Rameaux : *Virgo virginum præclara, — mihi jam non sis amara...*

Plus tard, quand notre proviseur, l'inspecteur Klohse, eut interdit à Mahlke de porter à découvert à son cou en classe l'objet polonais — Klohse était sous-directeur local du Parti, mais rarement il faisait classe en tenue brune — Joachim Mahlke se fit une raison : il se satisfit de sa vieille amulette habituelle, du tournevis d'acier ballant sous cette pomme d'Adam qui avait servi de souris à un chat.

Il suspendit la Vierge d'argent noirâtre entre le profil de bronze de Pilsudski et la photo format carte postale du commodore Bronte, le héros de Narvik.

# II

Cette prière ostentatoire, était-ce pour rire ? Votre maison était dans l'Allée de l'Ouest. Ton humour, si tu en avais, était étrange. Non, votre maison était dans l'Allée de l'Est. Étaient toutes pareilles, les rues de la cité ouvrière. Pourtant il suffisait que tu manges une tartine et nous étions pris d'un rire épidémique. Nous étions étonnés que tu nous aies fait rire. Mais le jour où le professeur Brunies demanda à tous les élèves de notre classe quelle profession ils exerceraient plus tard, et que — à l'époque, tu savais déjà nager — tu répondis : « Je serai clown et je ferai rire les gens », personne ne rit dans la classe carrée — et je fus pris de frayeur, car Mahlke, tout en exprimant à haute voix et droit devant lui sa volonté d'être clown au cirque ou ailleurs, avait un visage si grave qu'il fallait réellement craindre que plus tard il ne fît rire les gens par des moyens terribles, exemple : entre le numéro de fauves et l'attraction au trapèze, l'adoration publique de la Vierge-Marie; mais cette prière sur la péniche, était-ce sérieux ou bien voulais-tu amuser ton monde ?

Il habitait dans l'Allée de l'Est et non dans l'Allée de l'Ouest. Le pavillon d'un logement familial était à côté, au milieu et en face de similaires pavillons d'un logement familial, diversifiés par leurs seuls numéros, éventuellement grâce à leurs doubles rideaux à motifs variables, différemment drapés, à peine par la plantation contrastée des étroits jardinets de devant. Chacun de ces jardinets entretenait des nichoirs à oiseaux sur des perches, et des ornements vitrifiés : ou bien des grenouilles, des amanites tue-mouches, ou bien des gnômes. Devant la maison de Mahlke était accroupie une grenouille en céramique. Mais aussi devant la maison suivante et devant celle d'après étaient accroupies des grenouilles de céramique verte.

Bref c'était au vingt-quatre, et Mahlke habitait la quatrième maison à gauche en venant du Chemin du Loup. L'Allée de l'Est, comme l'Allée de l'Ouest qui lui était parallèle, tombait à angle droit dans le Chemin des Ours, qui était parallèle au Chemin du Loup. Quiconque descendait l'Allée de l'Ouest en venant du Chemin du Loup voyait à main gauche, par-dessus des toits rouge tuile, la façade et la face ouest d'un clocher au toit bulbeux oxydé. Quiconque descendait l'Allée de l'Est dans la même direction voyait à main droite par-dessus les toits la façade et le côté est du même clocher; car le temple du Christ était situé juste entre l'Allée de l'Est et l'Allée de l'Ouest, sur le côté opposé du Chemin des Ours, et, par quatre cadrans disposés en dessous du toit bulbeux, donnait l'heure à tout le quartier, depuis la Place Max-Halbe jusqu'à la chapelle catholique Sainte-Marie qui n'avait pas d'horloge, et faisait arriver ponctuellement, sans distinction de confession, ouvriers, employés, vendeuses, écoliers et lycéens à leur lieu de travail ou à leur école.

De sa chambre, Mahlke voyait le cadran de la face est du clocher. Dans le pignon, entre des murs légèrement obliques, la pluie et la grêle juste au-dessus de ses cheveux rayés au milieu, il avait installé son réduit personnel : une mansarde pleine du bric-à-brac habituel des garçons, de la collection de papillons aux photos-cartes postales d'acteurs favoris, d'aviateurs et de généraux de Panzers copieusement décorés; mais au milieu, un chromo non encadré de la Madone Sixtine avec les deux angelots joufflus au bord inférieur, la médaille à l'effigie de Pilsudski ci-dessus mentionnée et la pieuse amulette bénie à Czenstochowa, à côté de la photo de l'amiral qui commandait les destroyers à Narvik.

Dès ma première visite, je remarquai le hibou blanc empaillé. Je n'habitais pas loin, dans l'Allée de l'Ouest; mais il ne doit pas s'agir ici de moi, mais de Mahlke et de Mahlke et de moi, mais toujours au point de vue de Mahlke, car c'était lui qui avait la raie au milieu, portait des bottines, qui avait tantôt ceci tantôt cela pendu au cou pour détourner le chat éternel de la souris éternelle, s'agenouillait devant l'autel de Marie, plongeait avec son coup de soleil frais, nous devançait toujours d'une encolure, bien que dans un style affreusement contracté ( à peine avait-il appris à nager), qui plus tard après le lycée voulait être clown de cirque et faire rire les gens.

Le hibou blanc avait la même raie médiane et montrait une même identique expression que Mahlke, mystique, douloureuse et doucement résolue, comme ravagée d'une rage de dents intérieure. Son père lui avait légué cet oiseau bien préparé, au modelé discret, dont les serres agrippaient un branchage de bouleau.

Le centre de la piaule était pour moi, qui évitais laborieusement de voir le hibou blanc et le chromo de la Madone, ainsi que l'argenterie de Czenstochowa, ce phonographe que Mahlke, à force de travail pénible et minutieux, avait remonté de la péniche. Il n'avait pas trouvé de disques en bas — ils s'étaient probablement dissous — seulement cette machine assez moderne, avec manivelle et bras porte-aiguille, dans le carré des officiers qui lui avait déjà fourni l'objet d'argent et quelques autres pièces. La cabine était à mi-bateau, hors de notre portée, même pour Hotten Sonntag. Car nous ne descendions que dans l'avant et n'osions pas franchir le panneau obscur, à peine traversé de poissons tremblants, qui donnait sur la chambre des machines et les étroites cabines contiguës.

Peu avant que ne s'achèvent les premières vacances d'été sur la péniche, Mahlke rapporta le phonographe — comme l'extincteur, c'était un produit allemand — après avoir plongé peut-être douze fois, au cours desquelles, mètre par mètre, il avait déplacé le coffret en direction de l'avant jusque sous l'écoutille débouchant sur le pont; puis il utilisa la même corde qui lui avait servi pour haler le Minimax, l'amenant à l'air libre et jusqu'à nous sur la passerelle.

A l'aide de bois et de liège flottés nous dûmes bâtir un radeau pour ramener à terre le coffret dont la manivelle était bloquée par la rouille. Nous tirions à tour de rôle. Mahlke ne tira pas.

Une semaine plus tard, le phonographe était réparé, huilé, ses parties métalliques patinées de bronze, dans sa piaule. Un feutre neuf recouvrait le plateau. Après avoir remonté l'appareil devant moi, il fit tourner, vide, le plateau vert foncé. Mahlke était debout derrière l'appareil, bras croisés, à côté du hibou blanc sur branche de bouleau. Je tournais le dos à la peinture Sixtine, regardais le plateau vide, légèrement faussé ou bien, par la fenêtre de la mansarde, par-dessus le rouge neuf des toits en tuile, en direction du temple du Christ, cadran en façade, cadran en face est du clocher bulbeux. Avant le coup de six heures, le phonographe tiré du dragueur de mines acheva de ronronner, Mahlke remonta plusieurs fois la mécanique et me requit de prendre au nouveau rite un intérêt sans défaillance : bruits nombreux, divers, dégradés, le célèbre phono tournant à vide. A cette époque, Mahlke n'avait pas encore de disques.

Il y avait des livres sur une longue planche fléchie en son milieu. Il lisait beaucoup, même des ouvrages religieux. A côté des plantes grasses sur l'appui de fenêtre, de la maquette de l'aviso *Grille*, de celle d'un torpilleur de la classe Wolf, je dois encore mentionner un verre à eau qui était placé sur la commode à côté de la cuvette, toujours trouble et conservant un dépôt de sucre épais comme le pouce. Dans ce verre, le matin, Mahlke agitait de l'eau, avec soin et avec du sucre, pour en faire un sirop laiteux destiné à donner de la tenue à sa maigre et instable nature de cheveux, sans jamais enlever le dépôt de la veille. Un jour il m'offrit sa préparation, et je me peignai à l'eau sucrée. Effectivement ma coiffure après traitement garda la fixité du verre et tint jusqu'au soir : la peau du crâne me démangeait, mes mains restaient adhésives, comme les mains de Mahlke, d'avoir été passées sur ma tête pour vérification — ou bien est-ce que je m'imagine après coup mes mains collantes, et ne collaient-elles pas du tout.

Sous lui, dans trois pièces dont deux seulement étaient utilisées, habitaient sa mère et la sœur aînée de celle-ci. Silencieuses toutes deux quand il était là, toujours anxieuses et fières de leur jeune homme car Mahlke, au dire de ses bulletins, passait pour un bon élève, bien qu'il ne fût pas le premier de la classe. Il était, ce qui dévalorisait légèrement son rendement scolaire, notre aîné d'un an : la mère et la tante l'avaient envoyé un an plus tard à l'école primaire, car le gamin était chétif, elles disaient maladif.

Mais pas un acharné; il bûchait modérément, laissait tout le monde copier sur lui, ne cafardait jamais, n'étalait, même en classe de gym, aucune ambition particulière, avait une horreur frappante des cochonneries habituelles aux élèves de troisième et intervint le jour où Hotten Sonntag apporta en classe, enfilée sur une branche, une capote qu'il avait trouvée entre les bancs du Parc Steffens et la posa sur la poignée de la porte. Le professeur Treuge, un vieux pet-de-loup à demi-aveugle qui aurait dû être à la retraite, devait donner dans le panneau. Déjà quelqu'un criait dans le corridor : « Le voilà! » quand Mahlke sortit de son banc, alla sans se presser et, à l'aide d'un papier qui avait emballé une tartine de beurre, ôta le préservatif de la poignée.

Personne ne protesta. Il s'était une fois encore imposé à nous; et maintenant je peux le dire : ce n'était pas un acharné, ne bûchait que modérément, laissait copier tout le monde, pas d'ambition même en gym, s'abstenait de de prendre part aux cochonneries habituelles, mais c'était déjà le Mahlke tout à fait à part qui recherchait le succès tantôt de façon choisie, tantôt de façon laborieuse; bref, il voulait plus tard descendre dans l'arène, monter peut-être sur scène, et s'entraînait au métier de clown en ôtant des préservatifs gluants, recevait un murmure d'approbation et posait littéralement au clown quand il tournait ses petits soleils à la barre fixe et faisait tourbillonner la Sainte-Vierge d'argent dans l'air confiné d'une salle de gym.

Mais ses plus grands succès Mahlke les accumula pendant les vacances d'été sur le bateau coulé, bien que sa façon de plonger comme un enragé nous apparût à peine comme un numéro de cirque à succès. On ne riait jamais quand Mahlke, bleu et grelottant, plongeait coup sur coup dans la péniche, remontait quelque chose, histoire de pouvoir nous montrer quelque chose. Nous disions en tout cas, pleins d'une admiration pensive : « Ben mon vieux, c'est de première. Je voudrais avoir tes nerfs. T'es siphonné, Joachim. Comment que t'as fait pour l'avoir ? »

Le succès lui faisait du bien et apaisait le truc à ressort qu'il avait au cou; le succès le mettait aussi dans l'embarras et donnait au truc un regain de force ascensionnelle. Il commençait par un geste de refus, ce qui redoublait son succès. Ce n'était pas un fanfaron; jamais tu n'as dit : « Fais-en autant. » Ou bien : « Vous n'avez qu'à essayer. » Ou bien : « Ça, personne d'entre vous ne l'a fait comme moi avant hier : descendre quatre fois coup sur coup, pousser jusqu'à mi-bateau dans la cambuse et rapporter la boîte de conserves. Elle devait être française, il y avait dedans des cuisses de grenouilles, avaient un peu le goût de veau, mais vous aviez la trouille, vouliez pas seulement goûter, alors que j'avais déjà liquidé la moitié de la boîte. Et j'en ai remonté une deuxième, j'ai même trouvé un ouvre-boîte; mais la deuxième était gâtée : du corned-beef. »

Non, jamais Mahlke ne parlait ainsi. Il faisait un coup sortant de l'ordinaire, par exemple il rapportait de la ci-devant cambuse de la péniche plusieurs boîtes de conserves qui, d'après les marques estampées à froid étaient d'origine anglaise ou française, piqua même à fond de cale un ouvre-boîte à demi utilisable, ouvrit les boîtes devant nous sans un mot, s'enfila ces prétendues cuisses de grenouilles, fit tout en mâchant exécuter des tractions à sa pomme d'Adam — j'oubliais de dire que Mahlke était boulimique par nature, mais restait maigre — et nous tendit la boîte d'un air engageant, mais sans insistance, quand elle fut à demi vide. Nous dîmes merci, car Winter, rien que d'avoir regardé, dut se mettre à quatre pattes sur un des affûts démontés et, tourné vers l'entrée du port, exécuter longtemps à vide des gestes de vomissement.

Naturellement, après cette collation démonstrative, Mahlke recueillit son petit succès, fit un geste de modestie puis, avec le reste des cuisses de grenouilles et le corned-beef moisi, il nourrit les mouettes qui depuis le début de cette galimafrée tournaient comme folles à portée de la main. Pour finir il lança par-dessus bord les boîtes et les mouettes avec, nettoya au sable son ouvre-boîte; seul il était digne, aux yeux de Mahlke, d'être conservé. Comme le tournevis anglais, comme l'une et l'autre amulette, il porta désormais, non régulièrement mais seulement quand il était en quête de conserves dans la cambuse d'un ancien dragueur de mines polonais, cet ouvre-boîte pendu à son cou par une ficelle; il porta l'objet sous sa chemise à côté du reste de son bric-à-brac tant à l'école qu'à la messe du matin à la chapelle Sainte-Marie; car toutes les fois que Mahlke s'agenouillait au banc de communion, renversait la tête, tirait la langue, et que M. l'abbé Gusewski le ravitaillait de l'hostie, l'enfant de chœur à côté du prêtre lorgnait le col de Mahlke : y brinquebalaient à ton cou l'ouvre-boîte avec la Madone et le tournevis enduit de graisse; et je t'admirais sans que tu aies rien fait pour. Non, Mahlke n'était pas un ambitieux.

L'automne de la même année où il avait appris à nager, il fut expulsé du Jungvolk et envoyé à la Jeunesse hitlérienne parce que plusieurs dimanches il avait refusé de faire du service le matin et de conduire sa meute — car il était chef de meute — à la cérémonie matinale dans le bois de Jäschkental : cela lui valut, au moins dans notre classe, une admiration bruyante. Il accueillit nos démonstrations avec le flegme de l'habitude, à mi-chemin de l'embarras puis, comme simple membre de la Jeunesse hitlérienne, il continua à sécher le service des dimanches matin; seulement son absence était moins remarquée dans cette organisation qui encadrait tous les jeunes à partir de quatorze ans, car la Jeunesse hitlérienne était menée moins strictement que le Jungvolk; c'était un club-foutoir où des gens comme Mahlke pouvaient passer inaperçus. De plus, il n'était pas récalcitrant au sens habituel, ne manquait en semaine aucune soirée culturelle, se rendait utile dans les « actions spéciales » de plus en plus fréquentes, dans les collectes de vieux matériaux, dans les quêtes pour le Secours d'Hiver, dans la mesure où secouer la tirelire n'empiétait pas sur la messe dominicale du matin. Le membre Mahlke resta au sein de la Jeunesse d'État, d'autant que sa mutation du Jungvolk à la Jeunesse hitlérienne n'avait pas été une affaire particulière; il y resta anonyme et incolore, tandis que notre école, dès le premier été sur la péniche, lui accrocha un nimbe spécial, ni bon, ni mauvais : un nimbe légendaire.

Manifestement notre lycée, composé avec la susdite organisation de jeunesse, t'offrait à la longue plus que ne l'aurait pu faire un lycée normal : sa tradition semi-rigide et semi-aimable, ses casquettes multicolores, son esprit si souvent invoqué répondaient mieux aux attentes que tu dois avoir nourries.

— Qu'est-ce qu'il a donc ?

— Il a un tic, je te dis.

— Ça tient peut-être à la mort de son père.
— Et les breloques au cou ?
— Et il court toujours à la prière.
— Avec ça il ne croit à rien, je te dis.
— Et la bondieuserie et puis et ça ?
— Demande-lui ; c'est toi qui dans le temps, avec le chat...

Nous allions dénombrant des énigmes et ne pouvions pas te comprendre. Avant de savoir nager, tu étais un néant, de temps à autre interrogé en classe, donnant en général des réponses justes et appelé Joachim Mahlke. Pourtant je crois qu'en sixième au plus tard, en tout cas avant tes premiers essais natatoires, nous fûmes quelque temps au même banc; ou bien tu avais ta place derrière moi ou à la même hauteur que moi dans la travée du milieu, tandis que j'étais dans la travée côté fenêtres à côté de Schilling. Plus tard le bruit courait que jusqu'en cinquième tu avais dû porter des lunettes; m'avait pas frappé. De même, je ne remarquai tes inséparables bottines qu'au moment où tu te lanças dans le grand bain et commenças à porter au cou un lacet pour bottines hautes. De grands événements agitaient alors le monde, mais la chronologie de Mahlke avait sa date-repère : avant le grand bain, après le grand bain; car du temps où partout, pas d'un seul coup, mais petit à petit, d'abord sur la Westerplatte devant le port de Danzig, puis à la radio, puis dans les journaux, la guerre commença, il n'avait pas grande importance, ce lycéen qui ne savait ni nager ni monter à bicyclette; seul le dragueur de mines de la classe Czaika, qui par la suite devait lui offrir ses premières possibilités d'entrée en scène, jouait déjà son rôle, pour peu de semaines il est vrai, son rôle guerrier dans la baie de Putzig, dans le golfe et dans Hela, village de pêcheurs.

Elle n'était pas grande, la flotte polonaise, mais elle avait des ambitions. Nous connaissions par cœur ses unités modernes lancées pour la plupart sur des chantiers anglais ou français, et nous pouvions nous réciter leur armement, leur tonnage, leur vitesse en nœuds, aussi impeccablement que nous pouvions dévider les noms de tous les croiseurs légers italiens, de tous les cuirassés hors d'âge et de tous les monitors brésiliens.

Plus tard, Mahlke prit la tête dans cette science et prononça, facile et sans à-coup, les noms des destroyers japonais de la classe moderne Kasumi, achevés en trente-huit seulement, jusqu'aux bateaux plus lents de la classe Asagao, modernisés en vingt-trois; il disait : « *Humiduki*, *Satoki*, *Yuduki*, *Hokadzé*, *Nadakadzé* et *Oïté*. »

Les données numériques des unités de la flotte polonaise étaient vite débridées : il y avait les deux destroyers *Blyskawica* et *Grom*, deux mille tonnes, qui filaient leur trente nœuds, mais décrochèrent deux jours avant la conflagration, gagnèrent des ports anglais et furent incorporés à la flotte anglaise. Le *Blyskawica* existe encore aujourd'hui. Il est à Gdynia, fait office de musée flottant de la Marine et reçoit les visites de classes scolaires.

Cap sur l'Angleterre aussi le destroyer *Burza*, quinze cents tonnes, qui filait trente-trois nœuds. Parmi les cinq sous-marins polonais, seul le *Wilk* et, après un voyage aventureux sans cartes marines et sans commandant, l'*Orzel*, onze cents tonnes, réussirent à gagner des ports anglais. Les sous-marins *Rys*, *Zbik* et *Semp* se firent interner en Suède.

Au début de la guerre, il n'y avait plus dans les ports de Gdynia, Putzig, Heisternest et Hela qu'un ancien croiseur français hors d'âge servant de bateau-école et de casernement, ainsi que le mouilleur de mines *Gryf*, un navire bien armé, construit aux Chantiers Normands, Le Havre, deux mille deux cents tonnes, qui avait normalement trois cents mines à bord. De plus, il était resté le seul destroyer *Wicher*, quelques anciens torpilleurs allemands de la marine impériale; et ces six dragueurs de mines de la classe Czaika, filant dix-huit nœuds, avec une pièce de soixante-quinze en chasse et quatre mitrailleuses sur affûts circulaires, transportant officiellement vingt mines.

Et l'un de ces bateaux de cent quatre-vingt-cinq tonnes avait été construit exprès pour Mahlke.

La guerre navale dans le golfe de Danzig dura du 1er septembre au 2 octobre et, après la capitulation de Hela, donna le résultat suivant, purement extérieur : les unités polonaises *Gryf*, *Wicher*, *Baltyk*, ainsi que trois bateaux de la classe Czaika, le *Mewa*, le *Jaskika*, le *Czapla*, incendiés et coulés dans les ports; le destroyer allemand *Leberecht Maass* endommagé par tir d'artillerie, le dragueur de mines *M 85* sauta sur une mine anti-sous-marine polonaise, coula et perdit un tiers de son équipage.

Ne furent capturés que les trois derniers bateaux de la classe Czaika, légèrement endommagés. Tandis que le *Zuraw* et le *Czaika* purent être remis en service peu de temps après sous les noms d'*Oxhöft* et de *Westerplatte*, le troisième, le *Rybitwa*, tandis qu'on le remorquait de Hela sur Neufahrwasser, se mit à faire eau, à s'enfoncer et à attendre Joachim Mahlke; car ce fut lui qui en été y repêchait des écussons de cuivre jaune où était gravé le nom *Rybitwa*. On raconta plus tard qu'un officier polonais et un premier-maître, qui devaient servir le gouvernail du navire sous surveillance allemande, auraient sabordé le bateau suivant le modèle bien connu de Scapa-Flow.

Pour ces raisons-ci ou ces raisons-là, il s'échoua à l'écart du chenal et de la balise d'accostage de Neufahrwasser et ne fut pas renfloué, quoiqu'il fût en position favorable sur un des nombreux bancs de sable, si bien que, pendant les années de guerre qui suivirent, ses superstructures de passerelle, les restes du bastingage, les manches à air tordues et l'affût de la pièce de chasse démontée, étranges d'abord, puis familiers, émergèrent de la mer et te fournirent un but, à toi, Joachim Mahlke; de même que le croiseur de bataille *Gneisenau*, coulé en février quarante-cinq devant l'entrée du port de Gdynia, devint l'objectif d'écoliers polonais; bien qu'il doive rester incertain que, parmi les jeunes gens polonais plongeurs pillant le *Gneisenau*, il y en ait eu un seul d'aussi enragé que Mahlke.

## III

Pas beau, pour sûr. Il aurait dû se faire réparer la pomme d'Adam. Peut-être tout cela ne tenait-il qu'à sa thyroïde. Mais la chose n'était pas sans corrélations, bien qu'on ne puisse pas tout prouver par des proportions. Et son âme ne m'a jamais été présentée. Jamais je n'entendis ce qu'il pensait. Ce qui restait en fin de compte, c'était son cou avec ses nombreux contrepoids. Le fait qu'il véhiculait à l'école, à la baignade, des empilements de tartines, qu'il détruisait en classe, juste avant de se baigner, des tartines de margarine ne sera qu'une allusion de plus à la souris, car la souris mâchait, insatiable.

Reste encore la prière à destination de l'autel de Marie. Le Crucifié ne l'intéressa jamais particulièrement. Il était frappant que le une-deux-une-deux de son cou ne cessait pas, ni même ne s'interrompait quand il joignait les pointes de ses doigts parallèles; cependant, lorsqu'il priait, il déglutissait au ralenti et, grâce à la posture exagérément stylisée des mains, détournait l'attention de l'ascenseur qui, au-dessus de son col de chemise et de ses pendentifs sur ficelles, lacets ou chaînettes, demeurait constamment en service.

Autrement, les filles ne l'intéressaient pas beaucoup.

S'il avait eu une sœur ? Même mes cousines lui furent d'un maigre secours. Sa liaison avec Tulla Pokriefke ne compte pas; elle fut d'une nature spéciale et, comme numéro de cirque — puisqu'il voulait devenir clown — aurait produit son petit effet car Tulla, créature menue aux jambes minces, aurait aussi bien pu être un garçon. En tout cas cette chose fragile qui venait avec nous à la nage quand l'envie l'en prenait, tandis que nous usions lentement le deuxième été sur la péniche, n'a jamais été effarouchée quand, pour économiser nos caleçons de bain, nous flânions tout nus sur la rouille et ne savions que faire de nous-mêmes, ou si peu.

Le visage de Tulla aurait pu se rendre en points, traits, virgules. Elle aurait dû avoir des membranes entre les orteils tant elle flottait facilement. Toujours, même sur la péniche, malgré le varech, les mouettes et la rouille aigrelette, elle puait la colle d'ébéniste, parce que son père travaillait la colle dans l'atelier de son oncle. Elle était faite de peau, d'os et de curiosité. Calme, au-dessus de son menton appuyé, Tulla regardait quand Winter ou Esch devaient y passer et verser leur obole. La colonne vertébrale saillante, elle était assise en face de Winter, qui en avait toujours pour longtemps, et grognait : « Ben mon vieux, ça traîne ! »

Quand la chose se produisait enfin et claquait sur la rouille, alors elle commençait à frétiller pour de bon, se jetait à plat ventre, faisait des yeux de rat, regardait, regardait, voulait découvrir je ne sais quoi, se remettait à croupetons, puis à genoux, se levait, les jambes en genuvalgum léger, au-dessus de l'objet et commençait à l'agiter de son gros orteil mobile jusqu'à en tirer une écume couleur de rouille : « Ben mon vieux, c'est chouette! A ton tour, Atze. »

Ce petit jeu — car il était tout à fait innocent — jamais Tulla ne le trouvait ennuyeux. Elle mendiait, nasillarde : « Encore une fois. Qui qu'a pas eu son tour aujourd'hui ? C'est à toi. »

Elle trouvait toujours des imbéciles ou des braves types qui, même s'ils n'en avaient pas envie, se mettaient à l'ouvrage pour amuser Tulla. Le seul qui demeura non engagé jusqu'au jour où Tulla trouva le mot propre à l'aiguillonner, ce fut — et voici pourquoi cette olympiade est ici décrite — le maître nageur et plongeur Joachim Mahlke. Tandis que tous nous vaquions seuls ou à plusieurs — ainsi qu'il est dit dans l'Examen de conscience — à cette occupation attestée par la Bible, Mahlke restait toujours en caleçon de bain, dardant un regard affecté en direction de Hela. Nous étions sûrs que chez lui, dans sa piaule, entre le hibou des neiges et la Madone Sixtine, il pratiquait le même sport. Ce jour-là, il remontait justement à la surface, grelottait comme d'habitude et ne rapportait rien qui valut la peine d'être exhibé. Schilling s'était déjà dévoué une fois pour faire plaisir à Tulla. Une vedette côtière rentrait sur sa lancée. « Fais-le donc encore un coup », mendiait Tulla, car c'était Schilling qui avait le plus de ressources. Sur la rade, pas un seul bateau. « Pas sur une baignade. Verrons ça demain. » Ainsi Schilling se défila, et Tulla pivota sur un talon puis, sur les pointes, d'un pas balancé, elle vint en face de Mahlke; comme toujours, il grelottait à l'ombre derrière l'habitacle du compas, mais n'était pas encore accroupi. Un remorqueur de haute mer avec pièce de chasse sortait du port.

« Tu pourrais pas aussi ? Fais-le donc. Ou bien c'est-y que tu peux pas ? Que tu veux pas ? Que t'as pas le droit ? »

Mahlke sortit à demi de l'ombre et, gauche droite, de la paume et du revers, essuya le petit visage écrasé de Tulla. L'objet fixé à son cou faisait des cabrioles. De même le tournevis dansait comme un fou. Tulla, bien entendu, ne pleura pas une goutte; la bouche close, elle fit un rire narquois, se roula en boule, tordit ses membres de caoutchouc et, exécutant sans peine les reins cassés, elle regarda Mahlke à la renverse entre ses jambes maigres, gardant la pose assez longtemps pour que Mahlke, qui était rentré dans l'ombre — et le remorqueur virait cap au nord-ouest — dît enfin : « Bon. Histoire de te la boucler. »

Tulla quitta aussitôt sa position en pont et s'assit normalement en tailleur sur ses jambes croisées quand Mahlke ramena son caleçon de bain en accordéon sur ses genoux. Des enfants étonnés devant Guignol : quelques brefs mouvements du poignet droit, et son membre était si raide que le gland sortait de l'ombre de l'habitacle et prenait le soleil. Quand nous fûmes tous là, formant un demi-cercle, le monte-en-l'air de Mahlke s'érigea derechef à l'ombre.

« Est-ce que je peux, comme ça, très vite ? » Tulla en gardait la bouche ouverte. Mahlke fit un signe et retira sa main droite qu'il laissa cependant en forme de prise. Les mains toujours égratignées de Tulla travaillaient éperdument cet objet qui, sous la palpation attentive des doigts, prenait de la circonférence, enflait ses veines et devenait turgescent à l'extrémité.

« Mesure voir! » lança Jürgen Kupka. Tulla dut écarquiller la main gauche une grande fois et une petite. Quelqu'un, puis un autre, murmura : « Au moins trente centimètres. » Naturellement ce chiffre était exagéré. Schilling, qui parmi nous avait la plus longue carabine dut s'exhiber, se mettre en batterie et s'aligner : Mahlke était primo plus gros d'une pointure, secundo plus long d'une boîte d'allumettes et tertio son aspect était beaucoup plus adulte, plus dangereux, plus adorable.

Il avait une fois de plus montré ses capacités, et il nous les montra une fois encore aussitôt après en tirant deux fois de suite, comme nous disions, les vers du nez. Les genoux presque en extension, Mahlke se tenait debout juste devant le garde-fou tordu, derrière l'habitacle, regardait fixement la fumée plate du remorqueur de haute-mer qui allait diminuant, ne se laissait pas distraire par un torpilleur de la classe Mouette en train d'appareiller et, depuis les orteils surplombant légèrement le rebord jusqu'à son vertex en ligne de partage des eaux, exposait aux regards son profil : chose curieuse, la longueur de son sexe effaçait la saillie habituellement remarquable de sa pomme d'Adam et permettait d'ordonner son corps selon une harmonie équilibrée, quoique bizarre.

A peine Mahlke avait-il largué la première décharge par-dessus le bastingage qu'il recommença. Winter prit le temps avec sa montre-bracelet imperméable : à peu près autant de secondes qu'il en avait fallu au torpilleur qui appareillait pour aller de la pointe du môle à la balise et, lorsque le bateau doubla la balise, Mahlke en lâcha autant que la première fois; nous eûmes un rire étranglé quand les mouettes se jetèrent sur la mer lisse où flottait, à peine agité, cet objet dont elles redemandaient à grands cris.

Jamais Joachim Mahlke n'a eu besoin de se renouveler ni de se surpasser, car aucun d'entre nous, en tout cas après le parcours à la nage et les plongées épuisantes, n'atteignit son record; en effet, quoi que nous fissions, c'était du sport et nous observions la règle.

Tulla Pokriefke, qu'il avait sans doute impressionnée de la façon la plus directe, lui courut après pendant quelque temps; sur la péniche, elle se tenait toujours accroupie à proximité de l'habitacle et regardait fixement le caleçon de bain de Mahlke. Deux ou trois fois elle l'implora, mais il refusa, sans se mettre en colère.

« Faudrait que tu le dises à confesse ? »

Mahlke fit signe que oui et, pour détourner son regard, se mit à jouer avec le tournevis pendu au lacet.

« Tu voudrais pas m'emmener un peu en bas ? Toute seule j'ai peur. J'te parie qu'en bas y a encore un mort. »

Pour des raisons apparemment éducatives, Malhke emmena Tulla dans l'avant-bateau. Il plongea avec elle beaucoup trop longtemps car, lorsqu'il la remonta, elle pendait, gris jaunâtre, sur son bras, et nous dûmes tenir la tête en bas ce corps léger, plat de partout.

A partir de ce jour, Tulla devint plus rare et, bien qu'elle fût moins gourde que d'autres filles de son âge, elle nous courut de plus en plus sur les nerfs avec son éternelle rengaine de marin mort dans la péniche. Mais c'était là son grand thème : « Celui qui me le remonte, je me l'envoie », promettait Tulla en guise de récompense.

Il se peut que, tous dans l'avant-bateau et Mahlke dans la chambre des machines, nous ayons sans nous l'avouer cherché un matelot polonais à demi-dissous; non pas pour faire du rentre-dedans à cette impubère, mais comme ça, seulement comme ça.

Mais Mahlke lui-même ne trouva rien, sauf quelques effets friables, feutrés de varech, d'où s'échappèrent quelques épinoches; puis les mouettes s'en aperçurent et vinrent à la becquée.

Non, Mahlke ne s'en faisait pas beaucoup pour Tulla, même si par la suite il a eu affaire à elle. Il n'en tenait pas pour les filles, même pas pour la sœur de Schilling. Mes cousines de Berlin, il les a regardées comme un poisson une pomme. Si quelque chose l'intéressait, c'étaient les garçons; je ne veux pas dire par là que Mahlke avait des idées à l'envers; en ces années-là, quand nous faisions la navette entre l'établissement balnéaire et la péniche engravée, nous ne savions pas au juste, autant que nous étions, si nous étions mâles ou femelles. A vrai dire — et bien que par la suite des bruits et des preuves tangibles aient attesté le contraire — il n'y avait pour Mahlke, en fait de femme, que la sainte Vierge catholique. C'est pour l'amour d'elle qu'il a trimballé à la chapelle Sainte-Marie tout ce qui pouvait se porter et montrer pendu au cou. Il a tout fait, depuis les plongées jusqu'à ses exploits ultérieurs, plus militaires, pour elle, et aussi pour détourner les regards de sa pomme d'Adam. Pour conclure, on peut nommer encore, sans rendre superflues la Vierge et la souris, un troisième motif : notre lycée, cette boîte moisie, impossible à ventiler, et surtout la salle des fêtes pesaient lourdement sur Joachim Mahlke et l'obligèrent plus tard à d'ultimes efforts.

Il est temps de dire à présent quel visage avait Mahlke. Quelques-uns d'entre nous ont survécu à la guerre, vivent dans de petites villes et de grandes petites villes, sont devenus corpulents, souffrent une calvitie et gagnent passablement leur vie. J'ai vu Schilling à Duisbourg et Jürgen Kupka à Brunswick, peu avant qu'il n'émigre au Canada. Tous deux ont commencé par la pomme d'Adam : « Dis donc, vieux, est-ce qu'il n'avait pas quelque chose au cou. Est-ce qu'un jour on ne lui a pas mis un chat. Ce ne serait pas toi qui... » Et je devais interrompre : « Ce dont je parle, c'est de son visage. »

Par raccroc, nous nous mîmes d'accord : il avait des yeux bleus ou bleu-gris, clairs, mais non brillants, en aucun cas des yeux marron. Le visage maigre, allongé. Les pommettes saillantes. Le nez grand sans excès, mais charnu, vite rougi par temps froid. Pour l'occiput surplombant, voir ci-dessus. Difficile de se mettre d'accord sur la lèvre supérieure de Mahlke. Jürgen Kupka était de mon avis : elle était retroussée et ne pouvait recouvrir complètement les deux grandes incisives supérieures (lesquelles n'étaient pas perpendiculaires, mais obliques à la façon de boutoirs) sauf en plongée, naturellement. Et là déjà commençaient les doutes; nous nous rappelions que la môme Pokriefke avait eu aussi une lèvre retroussée et des incisives toujours visibles. En fin de compte nous ne savions plus très bien si, dans ce cas précis, Mahlke et Tulla ne confondaient pas leur lèvre supérieure. Peut-être elle seule en avait une, car elle en avait une, c'est établi.

Schilling, à Duisbourg — nous nous rencontrâmes au buffet de la gare, parce que sa femme n'aimait pas les visites sans préavis — me rappela cette caricature qui pendant quelques jours avait agité notre classe. Vers quarante et un surgit chez nous un grand gars parlant couramment un allemand haché qui avait été replié des États baltes avec sa famille : noble, toujours élégant, savait le grec, parlait comme un livre, avait un père baron, portait en hiver toque de fourrure, comment s'appelait-il donc ? en tout cas prénom Karel. Et il savait dessiner, très vite, d'après nature ou de chic : traîneaux à chiens avec des loups autour, cosaques ivres, Juifs comme dans le *Stürmer*, filles nues sur des lions, beaucoup de filles nues à longues jambes de porcelaine, mais jamais obscènes, en revanche des bolcheviks déchirant à belles dents de petits enfants. Hitler déguisé en Charlemagne, des autos de course où étaient au volant des dames à longues écharpes flottantes; et, avec une virtuosité particulière, il jetait au pinceau, à la plume ou à la sanguine sur n'importe quel bout de papier ou à la craie sur le tableau des caricatures de ses maîtres et de ses camarades; Mahlke, en tout cas, ne fut pas poché sur papier à la sanguine, mais écrasé à la craie sur le tableau. Il le dessina de face. A cette époque, Mahlke arborait déjà sa grotesque raie médiane collée à l'eau sucrée. Il rendit le visage par un triangle s'effilant au menton. La bouche amère. Pas trace d'incisives visibles qui auraient fait leur petit effet comme boutoirs. Les yeux : deux points aigus sous des sourcils douloureusement remontés. Le cou tordu, moitié de profil, avec un monstre de pomme d'Adam. Et derrière la tête, derrière cette physionomie souffrante, une auréole circulaire : le Rédempteur Mahlke était parfait et ne manqua pas de faire sensation.

Nous hennissions sur nos bancs et ne reprîmes haleine qu'au moment où quelqu'un saisit le joli Karel Von Untel aux boutons de sa veste et entreprit de l'assommer devant la chaire, d'abord à coups de poing puis, peu de temps avant que nous ne puissions les séparer, à l'aide du tournevis d'acier qu'il avait arraché de son cou.

Ce fut moi qui prit l'éponge pour effacer au tableau ton portrait en Rédempteur.

## IV

Sans blague et avec : peut-être ne serais-tu pas devenu un clown, mais plutôt quelque chose dans le genre créateur de mode; car ce fut Mahlke, l'hiver qui suivit le second été sur la péniche, qui lança dans le monde les pompons : deux balloches de laine uni-ou-multicolores, mais toujours grosses comme des balles de ping-pong, fixées au bout d'un cordon de laine natté, étaient passées en manière de cravate sous le col de la chemise et nouées sur le devant de telle sorte que les balloches se répondaient à l'horizontale comme dans le guidon d'un fusil. Je me suis fait confirmer qu'à partir du troisième hiver de guerre, on avait porté presque partout en Allemagne ces balloches ou pompons — c'était leur nom — mais surtout dans le Nord et le Nord-Est. Ce fut Mahlke qui les introduisit chez nous. Il aurait pu les avoir inventées. Peut-être était-il aussi leur inventeur; il fit confectionner à sa tante Susi, avec des restes de laine, de laine râpée par cent lessives, tirée des chaussettes cent fois reprisées de son père défunt, plusieurs paires de pompons selon ses indications et les apporta au lycée, nouées en évidence à son cou.

Dix jours plus tard, les boutiques de textiles en offraient, d'abord avec une hésitation pudique dans des boîtes en carton près de la caisse, bientôt après et, ce qui était important, sans bons d'attribution, en jolis arrangements dans les devantures; puis, partant de Langfuhr, et toujours hors rationnement, ils entreprirent leur randonnée triomphale à travers l'Est et le Nord; on en porta — j'ai des témoins — à Leipzig, à Pirna, et il en parvint isolément plus tard, alors que Mahlke avait déjà renoncé aux pompons, jusqu'en Rhénanie et dans le Palatinat. Je sais exactement quel jour Mahlke ôta de son cou son invention et j'en parlerai plus tard.

Nous portâmes les pompons encore et, pour finir, en guise de protestation, parce que notre directeur, le proviseur Klohse déclarait efféminé le port des pompons; c'était indigne d'un jeune Allemand et interdit dans les bâtiments scolaires, y compris la cour de récréation. Beaucoup ne suivirent les instructions de Klohse, lues sous forme de circulaire dans toutes les classes, que pendant ses classes à lui. Le père Brunies, un professeur en retraite qu'ils avaient remis en chaire pour la durée de la guerre, me revient à la mémoire quand j'évoque ces pompons : il goûta le charme renouvelé de ces objets multicolores et, une ou deux fois, alors que Mahlke n'en portait déjà plus, il se noua des pompons devant son faux-col dur et, dans cet équipage, récita « Pignons obscurs, hautes fenêtres... » ou bien autre chose, mais en tout cas de l'Eichendorff, qui était son poète de prédilection. Oswald Brunies était gourmand, amateur de sucreries; plus tard, sous le prétexte qu'il avait mangé des pastilles vitaminées qui devaient être distribuées aux élèves, mais probablement pour des raisons politiques — Brunies était franc-maçon — il fut arrêté dans le lycée. Des élèves subirent l'interrogatoire. Sa fille adoptive, une agréable poupée qui prenait des leçons de danse classique, porta par les rues le noir du deuil; ils l'avaient mis au camp de concentration de Stutthof — il y resta — une sombre histoire ramifiée qui sera rédigée ailleurs, mais pas par moi, et en aucun cas en relation avec Maklhe.

Mais revenons à nos pompons. Naturellement Mahlke les avait inventés pour arranger un tantinet sa pomme d'Adam. Pendant quelque temps ils purent calmer le sautillement indomptable, mais lorsque les pompons furent partout à la mode, y compris en sixième, ils ne firent plus aucun effet au cou de leur inventeur : et c'est ainsi que je vois Joachim Mahlke pendant l'hiver quarante et un-quarante-deux — qui doit lui avoir été pénible, car il n'y avait pas moyen de plonger, tandis que les pompons faisaient long feu — sans trêve et dans un monument de solitude, descendre l'Allée de l'Est, remonter le Chemin des Ours, direction Chapelle Sainte-Marie, en hautes bottines noires sur une neige grinçante saupoudrée de cendres. Pas de casquette. Rouges et vitrifiées ses oreilles décollées. Les cheveux plaqués d'eau sucrée et de gel, une raie au milieu, partant du tourbillon arrière. Sourcils dolents convergeant vers la racine du nez. Des yeux hagards, bleus d'eau, qui voient plus de choses qu'il n'en existe. Remonté le col du manteau — encore un legs de son père défunt — un cache-nez de laine grise croisé sous le menton, qu'il avait entre pointu et rabougri, retenu par une épingle de sûreté visible à distance. Tous les vingt pas, sa main sort de la poche du manteau et vient devant son cou vérifier l'ordonnance du cache-nez — j'ai vu des amuseurs, le clown Grock, de même Chaplin au cinéma, travailler avec cette sorte de grandes épingles — et Mahlke répète : hommes, femmes, uniformes en permission, enfants, isolés ou en peloton, viennent à sa rencontre, public né de la neige. Tous, y compris Mahlke, portent l'haleine blanche rejetée par-dessus l'épaule. Et tous les yeux qui viennent à sa rencontre sont braqués sur la clownesque, la très clownesque, épouvantablement clownesque épingle de sûreté — telles sont les réflexions de Mahlke.

Pendant le même hiver rigoureux et sec, avec deux cousines venues de Berlin pour les vacances de Noël, et avec Schilling, histoire de mettre les choses en train, je fis une sortie sur la mer gelée jusqu'à notre dragueur de mines embâclé. Nous voulions un peu faire les farauds et offrir aux filles, qui étaient jolies, polies, blondes, frisées et gâtées par le séjour de Berlin, un extra particulier : notre péniche. Nous espérions aussi qu'avec les poupées qui, dans le tramway et sur la plage, avaient fait des manières, nous pourrions sur la péniche nous en payer une tranche, nous ne savions pas encore de quoi.

Mahlke fit tourner notre après-midi en eau de boudin. Comme les brise-glaces avaient dû à plusieurs reprises dégager le proche chenal d'accès au port, des glaçons avaient glissé jusque devant la péniche et, enchevêtrés et empilés ils formaient un rempart déchiqueté, où le doigt du vent touchait de la harpe, et qui masquait une partie des superstructures. Nous vîmes Mahlke seulement quand nous eûmes gravi la barrière à hauteur d'homme et tendu la main aux filles pour les hisser. La passerelle, l'habitacle, les manches à air derrière la passerelle, tout ce qui tenait encore debout ne formait plus qu'un bonbon unique, glacé de blanc bleuâtre, que léchait en vain un soleil gourd. Pas de mouettes. Elles étaient plus au large, après les détritus des cargos embâclés dans la rade.

Naturellement Mahlke avait remonté le col de son manteau, noué le cache-nez juste sous son menton, l'épingle de sûreté devant. Rien sur la tête et sur la raie, mais des protège-oreilles comme en portaient les boueux et les cochers de brasseur, ronds, noirs, reliés par un arc de tôle qui coiffait son crâne comme d'une ferme transversale, comprimaient les deux oreilles de Mahlke, écartées à l'ordinaire.

Il ne nous remarqua pas, étant occupé à un dur travail sur la glace dominant l'avant. Armé d'une hachette maniable, il tentait de casser la glace approximativement à l'endroit où, sous la couche, pouvait se trouver l'écoutille de l'avant-bateau. A coups rapides et brefs, il traçait un sillon circulaire reproduisant la circonférence d'une plaque d'égoût. Schilling et moi sautâmes à bas de la barrière, reçûmes les filles et les lui présentâmes. Il n'eut pas besoin d'ôter de gants. La hachette passa dans sa main gauche, tous reçurent à serrer une main droite chaude dont le contact démangeait, qui retourna tout de suite à la hachette et se remit à piocher le sillon quand nous eûmes tendu nos mains. Les deux filles en avaient la bouche entr'ouverte. Leurs petites dents devenaient froides. L'haleine se déposait en frimas sur les fanchons. D'un œil leste, elles regardaient se mordre le fer et la glace. Nous étions portés disparus et, malgré la fureur qu'il nous inspirait, nous commençâmes à raconter ses exploits de plongeur, à parler de l'été : « Des plaques il a, et pis l'extincteur, des conserves, je vous dis, et un ouvre-boîte avec; dedans y avait de la chair humaine; et aussi le phono et, quand il l'a eu remonté, il en est sorti quelque chose, et même qu'une fois il a... »

Les filles ne comprenaient pas tout, posaient des questions bêtes et disaient « vous » à Mahlke. Il piochait sans relâche, secouait la tête avec ses protège-oreilles quand nous diffusions sur la glace avec une force excessive sa célébrité de plongeur, mais n'oubliait jamais de porter sa main libre au cache-nez et à l'épingle de sûreté. Quand nous eûmes vidé notre sac et fûmes réduits à nous morfondre, il fit, sans se redresser complètement, de vingt en vingt coups, de courtes pauses qu'il remplit de paroles modestes et d'une relation objective. Sa sûreté n'avait d'égal que son embarras tandis qu'il insistait sur les petits essais de plongée, escamotait les expéditions risquées, parlait plutôt de son travail que de ses aventures dans l'humide intérieur du bateau coulé et ce faisant marquait de plus en plus profondément le sillon dans la glace. Ce n'était pas que Mahlke en mît plein la vue à mes cousines; il était bien trop flou et terne dans le choix des mots. Et puis les deux mômes n'auraient jamais marché avec un type qui portait des protège-oreilles comme un pépé. Cependant nous restions nuls et non avenus. Il faisait de nous des petits garçons transis, le nez coulant, déconcertés, nettement en marge; et les filles ne nous traitèrent plus, Schilling et moi, que de haut en bas, même pendant le retour.

Mahlke resta; il voulait en finir de percer son trou et se prouver qu'il avait touché la place juste au-dessus de l'écoutille. Certes il ne dit pas : « Restez donc jusqu'à ce que j'aie fini, » mais, alors que nous avions déjà gravi le rempart de glace, il retarda notre départ de cinq brèves minutes en répandant à mi-voix des paroles, mais pas vers nous sur notre perchoir, mais plutôt vers les cargos embâclés sur la rade, sans redresser l'échine.

Il nous priait de l'aider. Ou bien donnait-il un ordre poliment énoncé ? En tout cas, nous devions lâcher notre eau superflue dans la rigole à section triangulaire qu'il avait taillée; l'urine chaude devait ramollir la glace, sinon la dégeler. Avant que Schilling ou moi ayons pu dire : « J'sais pas viser ! » ou bien « On a déjà fait en venant », mes cousines débordaient de jubilation et de dévouement : « Oh oui ! Mais vous regarderez d'un autre côté, monsieur Mahlke. »

Après avoir expliqué aux deux filles où elles devaient s'accroupir — il dit que le jet devait tomber toujours à la même place, sinon ça ne ferait rien — Mahlke grimpa sur le rempart et se tourna comme nous vers la plage. Tandis que derrière nous, parmi des rires étouffés et des paroles chuchotées, s'accomplissait le pss-pss à deux voix, nous restâmes tournés vers la fourmilière noire qui grouillait devant Brösen et sur l'estacade glacée. Les peupliers, dix-sept comptés, poudrés de sucre, sur la promenade de la plage. La sphère dorée sur la pointe du monument aux morts, émergeant en obélisque du bois de Brösen, émettait des signaux clignotants frénétiques. Partout, c'était dimanche.

Quand les filles eurent remonté leurs pantalons de ski et que nous posâmes au bord de la rigole nos pointes de souliers, le cercle fumait encore, et surtout aux deux endroits que Mahlke avait préventivement marqués en les croisant d'un trait de hache. L'eau jaune pâle occupait le fossé et s'infiltrait en pétillant. Les bords du tracé s'injectaient de vert doré. La glace chantait, larmoyante. Une odeur pénétrante, faute d'opposition, demeurait sur place et prit de la force quand Mahlke reprit la hache et râcla dans la rigole assez de semoule glacée pour remplir un seau normal. Aux deux endroits qu'il avait marqués, il réussit à creuser des puits, à gagner en profondeur.

Quand la couche molle se trouva entassée sur le côté, où elle commença tout de suite à s'encroûter de froid, il marqua deux nouvelles places. Les filles durent se détourner, nous nous déboutonnâmes et vînmes en aide à Mahlke; nous dégelâmes encore la couche de glace sur quelques centimètres et perçâmes deux trous dont la profondeur cependant restait insuffisante. Lui ne répandit pas d'eau. Nous ne l'invitâmes pas à le faire non plus, nous redoutions plutôt que les filles ne l'y encouragent.

Dès que nous eûmes fini, et avant que mes cousines aient pu ouvrir la bouche, Mahlke nous congédia. Quand nous fûmes à nouveau sur le rempart et jetâmes un regard en arrière, il avait, sans dégager son cou, remonté sur le menton et le nez son cache-nez y compris l'épingle de sûreté. Les balloches ou pompons de laine, rouge et blanc mouchetés, vinrent prendre l'air entre le cache-nez et le col du manteau. Il s'était déjà remis à piocher dans la trace murmurante laissée par nous et les filles, courbait le dos derrière de fugitifs voiles de buanderie que fouillait le soleil.

Pendant le retour vers Brösen, il ne fut question que de lui. Les deux cousines posaient des questions alternatives ou simultanées auxquelles on ne pouvait toutes répondre. C'est seulement quand la cadette voulut savoir pourquoi il portait le cache-nez si haut contre le menton à la façon d'un pansement au cou, et que l'aînée reprit le fil du cache-nez, que Schilling saisit la petite chance au vol et se mit à décrire la pomme d'Adam de Mahlke comme s'il se fût agi d'un goître. Il fit aussi des mouvements exagérés de déglutition, mima Mahlke mâchant, ôta sa casquette norvégienne, suggéra de ses doigts une raie au milieu et parvint à faire rire les filles, si bien qu'elles déclarèrent Mahlke drôle et un peu bizarre de la toiture.

Mais en dépit de cette petite victoire obtenue à tes dépens — j'y allai aussi de mon couplet et imitai ton flirt avec la Vierge-Marie — mes deux cousines rentrèrent à Berlin une semaine plus tard sans que, exception faite des habituels pelotages au cinéma, nous ayons pu nous en payer une tranche.

Je ne saurais ici passer sous silence que le lendemain d'assez bonne heure je pris le tramway de Brösen, m'engageai sur la glace dans l'épais brouillard côtier, faillis manquer la péniche, trouvai achevé le trou de glace sur l'avant-bateau, enfonçai laborieusement la couche de jeune glace qui portait déjà, s'étant reformée au cours de la nuit, à coups de talons et d'une canne à pointe de fer, venant de mon père, que j'avais eu la précaution d'apporter; avec la canne, je fouillai le trou noirâtre parmi la purée de glaçons. La canne avait presque disparu jusqu'à la poignée, déjà le clapotis montait jusqu'à mon gant, quand la pointe rencontra le pont avant; non, pas le pont avant; je poussai d'abord sans rencontrer de fond, et ce fut seulement quand je promenai latéralement la canne au bord du trou de glace que je trouvai en bas une résistance : et je fis courir le fer contre le fer : c'était exactement l'écoutille sans panneau, ouverte sur l'avant-bateau. Comme un assiette posée à plat sous une autre quand on les met en pile, ainsi l'écoutille était sous le trou de glace.

Mensonge, pas exactement, il n'y a pas d'exactement : ou bien l'écoutille était un peu plus grande, ou bien c'était le trou de glace; mais, avec une exactitude approximative, l'écoutille s'ouvrait en dessous; et j'éprouvai pour Joachim Mahlke une sorte de fierté, pareille au goût d'une bouchée à la crème, et je t'aurais volontiers donné ma montre-bracelet.

Je restai dix bonnes minutes assis sur le couvercle de glace épais de quarante centimètres qui était à côté du trou. Au second tiers inférieur du bloc courait en rond la trace jaune tendre de la veille. Nous avions été admis à lui venir en aide. Mais Mahlke aurait aussi percé son trou tout seul. Se pouvait-il qu'il se passât de public ? Car même les mouettes n'avaient pas admiré le trou de glace que tu avais pratiqué au-dessus de l'écoutille avant, si je n'étais venu pour t'admirer.

Il avait toujours un public. Quand je dis à présent : il avait toujours, même quand il traçait, seul, son circuit sur la péniche embâclée, la Vierge-Marie derrière ou devant lui, et elle regardait sa hachette, s'enthousiasmait de lui, l'Église devrait me donner raison; mais même si l'Église ne peut voir en la Vierge-Marie la spectatrice inlassable des tours de Joachim Mahlke, cela n'empêche pas qu'elle le regardait avec attention; car je sais : n'étais-je pas enfant de chœur, d'abord sous M. l'abbé Wiehnke au Sacré-Cœur, puis sous Gusewski à la chapelle Sainte-Marie ? Je le restai alors que depuis longtemps, quasiment en grandissant j'avais perdu la foi en la magie accomplie devant l'autel. Ça m'amusait ces allées et venues. Je me donnais du mal aussi; je ne traînais pas les pieds comme on fait d'habitude. Je ne fus jamais et ne suis jusqu'à ce jour pas bien sûr que peut-être il se passe tout de même quelque chose là-derrière ou là-devant ou bien dans le tabernacle... M. l'abbé Gusewski, en tout cas, marquait toujours la même joie de me retrouver à ses côtés dans un des rôles de desservants, parce que jamais, entre le sacrifice et la transsubstantiation jamais je n'échangeais des images de cigarettes, n'agitais la sonnette en retard et ne trafiquais de vin de messe comme il était d'usage parmi ses galopins. Car les enfants de chœur sont les pires de tous; non contents d'étaler sur les degrés de l'autel leur habituel bric-à-brac de garçons, de parier des médailles ou des roulements à billes usagés, dès les prières sur les degrés et en guise de texte, ou bien entre les répliques en latin, ils s'interrogeaient sur les détails techniques de navires de guerre encore à flot ou déjà coulés : « *Introibo ad altare dei.* — En quelle année fut lancé le croiseur *Eritrea ?* — Trente-six. Particularités ? — *Ad deum qui lætificat juventutem meam.* — Seul croiseur italien pour l'Afrique orientale. Déplacement ? — *Deus fortitudo mea.* — Deux mille cent soixante douze. Combien de nœuds file-t-il ? — *Et introibo ad altare dei.* Sais pas. Armement ? — *Sicut erat in principio.* — Six de cent cinquante, quatre de soixante-seize... Erreur ! — *Et nunc et semper.* — Exact. Comment s'appellent les navires-écoles allemands d'artillerie ? — *Et in sæcula sæculorum, amen.* — Ils s'appellent *Bourdon* et *Frelon.* »

Plus tard, je ne servis plus régulièrement à la chapelle Sainte-Marie; je venais seulement quand Gusewski m'envoyait chercher parce que ses gamins, pour cause d'exercice en campagne ou de quête pour le Secours d'Hiver, l'avaient laissé en plan.

Cela soit dit seulement pour décrire ma place devant le maître-autel, car du maître-autel je réussissais à observer Mahlke lorsqu'il était agenouillé devant l'autel de Marie. Et, pour prier, c'était un crack ! Son regard : celui d'un veau. De plus en plus vitreux : son œil. Sa bouche : aigre et en mouvement sans points ni virgules. Les poissons jetés sur la plage ont cette façon régulière de pomper l'air. Cette image peut prouver avec quelle impudence Mahlke pouvait prier. Quand M. l'abbé Gusewski et moi passions en revue le banc de communion et que nous arrivions à Mahlke, toujours agenouillé à l'aile gauche en regardant de l'autel, celui qui était là, à genoux, avait abdiqué toute prudence, le cache-nez et l'épingle de sûreté, faisait des yeux fixes, couchait en arrière sa tête à raie médiane, sortait la langue et, dans cette posture, lâchait en liberté cette souris que j'aurais pu attraper à la main, tant la bestiole cheminait exposée. Mais peut-être Joachim Mahlke remarquait-il que son tire-l'œil était à découvert et pistonnait. Il aidait de son mieux, par un mouvement forcené de déglutition, à suborner le regard de la Sainte-Vierge, en statue sur le côté, car je ne peux et ne veux pas croire que tu aies jamais rien fait sans public.

## V

Je ne l'ai jamais vu avec ses pompons à la chapelle Sainte-Marie. De plus en plus rarement, bien que la mode commençât seulement à se pleinement développer chez les lycéens, il venait avec ses balloches de laine. Quelques fois où, à trois, nous étions sous le même marronnier dans la cour de récréation, à discuter à bâtons rompus de laine et compagnie, Mahlke ôtait de son cou les pompons puis, dans son indécision, les renouait en boucle après la seconde sonnerie à défaut de contrepoids meilleurs.

Revint du front, pour la première fois, après avoir rendu visite au Quartier-Général du Führer, un ancien élève et bachelier de notre lycée, lequel avait à présent sous la glotte le grelot désiré; alors une sonnerie spéciale, en plein pendant la classe, nous réunit à la salle des fêtes. Le jeune homme était debout au chevet de la salle, devant trois hautes fenêtres, devant des plantes vertes à grandes feuilles et le demi-cercle assemblé du Conseil des professeurs, pas derrière la chaire, mais avec le grelot au cou, à côté de l'armoire vieux brun, et sa petite bouche rouge clair en cul de poule parlait par dessus nos têtes, et il faisait des gestes explicatifs; je vis alors Joachim Mahlke, assis un rang devant moi et Schilling, rendre ses oreilles transparentes puis rouge vif, se rejeter roidement en arrière, puis gauche, droite, à deux mains, trifouiller à son cou, faire le geste de s'étrangler, jeter enfin sous le banc quelque chose : laine, pompons, les balloches, mêlées de vert et de rouge, je crois. Et l'autre là-bas, au début il n'ouvrait pas la bouche assez fort, un sous-lieutenant de la Luftwaffe, parlait par rafales, avec un air d'embarras sympathique et il rougit à plusieurs reprises sans que ses propos aient pu lui en donner l'occasion : « ... ben, faut pas vous imaginer que ça se passe comme une battue aux lapins, et bim et boum et en v'là encore. Souvent, pendant des semaines, rien. Mais quand on est arrivé dans la Manche, je me suis dit si c'est pas ici, c'est nulle part. Et ça a marché. Dès la première mission, voilà qu'il nous passe devant le nez une formation avec couverture de chasseurs et le carrousel, je dis, tantôt sur tantôt sous les nuages était parfait : rien qu'en virages. Je tente de prendre de l'altitude, en dessous de moi trois Spitfire, couverture réciproque, je me dis, y aurait de quoi rire si, je pique du haut, j'en accroche un, il est déjà marqué, j'arrive de justesse à enlever mon taxi juste par-dessus sa pointe d'aile gauche quand voilà, en plein dans l'axe, un deuxième Spitfire, je vise l'axe de l'hélice, lui ou moi; eh bien, comme vous voyez, c'est lui qui est allé à l'eau, et je me dis, si tu en as déjà deux, essaie voir avec le troisième et cætera tant qu'il y aura du carburant. En dessous de moi, voilà qu'ils veulent se disperser, sept en formation lâche; moi, toujours le soleil bien dans le dos, j'en repère un, je lui donne ma bénédiction; je recommence mon numéro, ça réussit encore; je ramène les manches à balai jusqu'à la butée quand un troisième se présente devant mon arrosoir; il dégage à fond vers le bas, je dois l'avoir touché, instinctivement je suis, je le perds, nuages, je le retrouve, j'appuie encore une fois sur le tube, descendez on vous demande; mais moi peu s'en faut que je n'aille prendre un bain; je ne sais réellement pas comment j'ai redressé mon taxi. En tout cas, quand je rentre en battant des ailes — vous le savez sûrement ou bien vous l'avez vu aux actualités, on fait toujours osciller les plans quand on a descendu quelque chose — je n'arrive pas à sortir mon train d'atterrissage, il est coincé. Et alors j'ai dû atterrir sur le ventre. Plus tard, à la cantine : j'en avais six probables, naturellement j'avais pas compté pendant, j'étais naturellement trop énervé, naturellement tout le monde était bien content, mais vers les quatre heures il a fallu repartir : bref, ça s'est passé exactement comme dans le temps quand nous jouions au handball dans notre bonne vieille cour de récréation — car il n'y avait pas encore le terrain de sport. Peut-être Monsieur Mallenbrandt se souviendra-t-il : ou bien je ne marquais pas un seul but, ou bien neuf d'affilée; et les choses se passèrent ainsi cet après-midi-là : après les six de la matinée, encore trois autres; c'était de mon neuvième à mon dix-septième; mais c'est seulement six bons mois après que le patron, quand j'avais bouclé la quarantaine; et quand j'ai été au Quartier général du Führer, j'en avais quarante-quatre à mon tableau; car nous autres sur la Manche on ne sortait plus des taxis, on y restait tandis que le personnel au sol; tout le monde n'aurait pas tenu le coup; mais pour changer je vais vous raconter quelque chose de drôle : dans chaque base il y a un chien de l'escadrille. Et un jour que notre chien d'escadrille Alex, parce qu'on avait justement un beau temps du tonnerre... »

Ainsi, ou à peu près, s'exprima ce sous-lieutenant titulaire des plus hautes distinctions; entre deux combats aériens, en intermède, il donna l'histoire du chien d'escadrille Alex qui dut apprendre à sauter en parachute, et aussi l'historiette du caporal-chef qui en cas d'alerte sortait trop tard de ses couvertures et dut plusieurs fois exécuter ses missions en pyjama.

Le sous-lieutenant riait aussi quand les élèves, même les premières, riaient, et que certains professeurs se permettaient le sourire fin. Il avait passé son bachot en trente-six dans notre lycée et fut descendu en quarante-trois au-dessus de la Ruhr. Il avait des cheveux châtain foncé, sans raie, rejetés en arrière, n'était pas particulièrement grand, plutôt un sommelier menu, faisant la salle dans une boîte de nuit. En parlant il tenait une main dans sa poche, mais montrait aussitôt la main cachée quand il fallait décrire un combat aérien et le rendre expressif à deux mains. Il possédait à fond ce jeu des mains en extension forcée; il pouvait, quand il mimait des épaules une approche en virages, renoncer aux phrases longues, semait çà et là un mot de base et, tout en râlant ou bégayant les bruits de moteur depuis le décollage jusqu'à l'atterrissage, se surpassait quand un moteur cafouillait. On pouvait supposer qu'il avait étudié ce numéro à la popote de sa base, surtout que le mot popote par-ci, popote par-là : « Nous étions tous installés bien tranquilles à la popote et... Juste comme je voulais aller à la popote... Chez nous, à la popote, il y a suspendu... » avait dans sa bouche une signification centrale. Mais même à part ça, et abstraction faite de ses mains de mime comme de son imitation des bruits au naturel, son exposé était fort spirituel parce qu'il avait l'art de prendre en ligne de mire une partie de nos professeurs qui, dès son époque, avaient les mêmes surnoms que de notre temps. Mais restait toujours gentil, gamin, un peu raseur, sans la ramener; quand il avait exécuté quelque chose d'extrêmement difficile, ne parlait pas de succès, mais de la chance qu'il avait eue : « Je suis un veinard; déjà au lycée, quand je pense à certaines admissions en classe supérieure... » et au beau milieu d'une blague de potache il évoqua la mémoire de trois anciens camarades de classe qui, selon ses propres termes, ne devraient pas être tombés pour rien; mais il ne conclut pas son exposé en citant les noms des trois morts à la guerre, mais par ce simple aveu : « Les gars, je vous le dis : quand on est en mission à l'ennemi, on pense souvent et volontiers au temps de l'école! »

Nous applaudîmes longuement, avec clameurs et battements de pieds. Quand nos mains furent brûlantes et dures, je remarquai seulement que Mahlke s'abstenait et ne dirigeait pas d'ovation vers la chaire.

Là-bas, le proviseur Klohse secoua, tant que se prolongèrent les applaudissements, avec une véhémence frappante les deux mains de son ancien élève. Puis en signe de reconnaissance et d'admiration il le prit aux épaules, lâcha brusquement la chétive figure qui aussitôt regagna sa place, et s'établit debout derrière la chaire.

Le discours du proviseur durait. L'ennui se répandit

depuis la foison de plantes vertes jusqu'au tableau à l'huile qui, pendu à la paroi du fond, représentait le fondateur du lycée, un baron von Conradi. Le sous-lieutenant lui-même, tout menu entre les professeurs Brunies et Mallenbrandt, regardait ses ongles. La froide haleine de pippermint caractéristique de Klohse, qui pénétrait toutes ses classes de mathématiques et figurait l'odeur de la science pure, était de peu de secours dans la haute salle. De la scène, des paroles parvenaient de justesse au milieu de la salle des fêtes : « Ceux qui viendront après nous — Et en cette heure — Voyageur, viens-tu — Mais cette fois la patrie — Et si jamais nous voulons — agiles, coriaces, durs — propres — disais-je — propres — et quiconque ne doit pas — Et en cette heure — rester propres — Et pour conclure le mot de Schiller — Si l'on n'engage pas sa vie, on ne peut l'emporter — Et maintenant au travail ! »

Nous fûmes congédiés et nous entassâmes en deux grappes devant les issues trop étroites de la salle des fêtes. Je jouais des coudes pour rejoindre Mahlke. Il suait, et son eau sucrée formait des soies raides à cheval sur sa raie au milieu détruite. Jamais encore, même en salle de gym, je n'avais vu Mahlke suer. Le remugle des trois cents lycéens formait bouchon aux issues de la salle des fêtes. Les occipitaux de Mahlke, ces deux câbles de muscles reliant la septième cervicale à l'occiput surplombant, étaient congestionnés et suaient à grosses gouttes. C'est seulement dans le vestibule à colonnes, devant les portes à double battant, parmi le vacarme des sixièmes qui avaient aussitôt repris leurs jeux de poursuite, que je le dépassai et questionnai de front : « Qu'est-ce que t'en dis ? »

Mahlke regardait droit devant lui. Je tentai de ne pas regarder son cou. Il y avait entre des colonnes un buste en plâtre de Lessing : mais le cou de Mahlke l'emporta. Calme et dolente, comme s'il voulait narrer les maux chroniques de sa tante, vint la voix : « Maintenant faut qu'ils en abattent quarante s'ils veulent avoir le truc. Tout au début, et quand ils avaient fini en France et dans le Nord, ils l'avaient déjà dès que les vingt... si ça continue comme ça ! »

Le discours du sous-lieutenant te resta sur l'estomac. Sinon, comment aurais-tu recouru à un si minable subterfuge. A l'époque on voyait aux devantures des papetiers et des marchands de tissus des plaquettes lumineuses, rondes, ovales ou même perforées, et des boutons phosphorescents. Beaucoup avaient la forme d'un poisson, d'autres, dès que dans l'obscurité ils diffusaient une luminescence de lait verdâtre, rendaient le contour d'une mouette au vol. Ces plaquettes étaient portées la plupart du temps au revers du manteau par des messieurs âgés et des femmes fragiles; il existait aussi des cannes à bandes lumineuses.

Mais toi tu n'étais pas une victime de la défense passive et pourtant tu t'es épinglé cinq ou six plaquettes, un banc de poissons phosphorescents, un pulk de mouettes planeuses, des bouquets de fleurs luisantes, d'abord aux revers du manteau, puis au cache-nez; tu t'es fait coudre par ta tante une demi-douzaine de boutons en composition lumineuse, de haut en bas de ton manteau, tu t'es fait comme est fait un clown; car c'est ainsi que je te voyais, que je te vois encore, te verrai longtemps arriver : tant que l'hiver dure, au crépuscule, à travers la chute d'une neige vespérale ou une obscurité à peine dégradée, tu marches toujours, dénombrable de haut en bas et retour, avec un deux trois quatre cinq six boutons de manteau vert moisi, descendant le chemin des Ours : fantôme précaire, qui peut au plus effrayer enfants et grand-mères et tente de faire diversion à une peine que sans cela masquerait la nuit noire; mais tu pensais assurément : aucune noirceur ne peut engloutir ce fruit adulte, chacun le sent, voit, pressent, voudrait le saisir, car il est à portée; si seulement cet hiver était bientôt passé — je veux à nouveau plonger et rester sous l'eau.

# VI

Quand l'été ramena les fraises, les communiqués spéciaux et le temps des baignades, Mahlke ne voulut pas nager. Nous allâmes à la péniche pour la première fois à la mi-juin. Nous n'étions tous pas très en train. Nous étions importunés par les élèves de quatrième et de troisième qui nageaient avant ou avec nous, se tenaient accroupis en meute sur la passerelle, plongeaient et remontaient la dernière charnière dévissable. Mahlke qui jadis avait dû implorer : « Laissez-moi venir, je sais maintenant nager » subissait désormais les harcèlements de Schilling, de Winter et de moi : « Viens donc. Sans toi c'est pas drôle. On peut aussi bien prendre un bain de soleil sur la péniche. Peut-être que tu trouveras encore un machin extraordinaire en bas. »

A contre-cœur, après avoir fait plusieurs gestes de refus, Mahlke entra dans le tiède bouillon entre la plage et le premier banc de sable. Il y alla sans tournevis, resta parmi nous, à deux brassées derrière Hotten Sonntag, puis se détacha enfin tranquillement; et, pour la première fois il était à plat dans l'eau sans contraction ni éclaboussure. Sur la passerelle, il s'assit à l'ombre derrière l'habitacle du compas, et il fut impossible de le déterminer à plonger. Il ne tourna même pas la tête quand les troisièmes disparurent dans l'avant et remontèrent avec des bricoles dans les mains. Mahlke aurait pu diriger l'apprentissage des gamins. Plusieurs voulaient recevoir de lui un conseil, mais il répondit à peine. Tout ce que faisait Mahlke, c'était de regarder, les yeux mi-clos, la haute mer en direction de la balise d'accostage; ni les cargos qui entraient, ni les formations de vedettes lance-torpilles qui sortaient ne pouvaient le distraire. Seuls les sous-marins le rendaient mobile. Parfois, loin au large, le périscope sorti d'un sous-marin en plongée traçait une nette bande d'écume. Les engins de sept-cent-cinquante tonnes construits en série aux chantiers de Schichau faisaient leurs sorties d'essai dans la baie ou derrière la presqu'île de Hela, émergeaient dans le chenal, approchaient de l'entrée du port et nous passaient le temps. C'était joli quand ils faisaient surface : d'abord le périscope. Le kiosque, à peine apparu, crachait un deux bonshommes. La mer ruisselait en cascades blanc mat sur la pièce de chasse, sur l'avant, puis de la poupe : grouillement à tous les trous d'hommes, nous poussions des cris et faisions des signes — je ne suis pas sûr qu'à bord du sous-marin on répondît à nos signaux, bien que je voie le geste en détail et le revive encore une fois sous forme d'une tension amorcée dans l'épaule; mais avec ou sans signaux de réponse : l'émersion d'un sous-marin touche le cœur et ne cesse plus — seul Mahlke ne faisait jamais de signaux.

... et une fois — c'était la fin juin, encore avant les grandes vacances d'été et avant la conférence que le lieutenant de vaisseau donna dans la salle des fêtes de notre école — Mahlke sortit de son ombre, parce qu'un bizuth de quatrième ne pouvait plus ressortir de la cale avant du dragueur de mines. Il descendit dans l'écoutille avant et remonta le gamin. Il s'était coincé à mi-bateau, juste en avant de la chambre des machines. Mahlke le trouva sous le plafond, entre des tuyaux et des faisceaux de câbles. Deux heures durant, Schilling et Hotten Sonntag le travaillèrent à tour de rôle suivant les instructions de Mahlke. Lentement, le bizuth reprit de la couleur, mais il fallut le remorquer pour le retour.

Le lendemain, Mahlke plongeait à nouveau régulièrement et avec rage, mais sans tournevis. Dès le départ, il avait retrouvé son ancienne cadence, nous lâcha et il avait été déjà une fois en bas quand nous nous hissâmes sur la passerelle.

L'hiver, le givrage et les tempêtes violentes de février avaient ôté à l'épave le dernier reste de bastingage, les deux affûts circulaires et le toit de l'habitacle. Seul le guano de mouette encroûté avait bien traversé l'hiver et s'accroissait. Mahlke ne remonta rien, ne donna même pas de réponses, quelle que fût la nouveauté des questions inventées. En fin d'après-midi seulement, après avoir été en bas dix ou douze fois, et comme nous étions en train de nous dérouiller les membres en vue du retour, il ne reparut plus, ce qui nous scia en deux.

Quand je dis cinq minutes de pause, ça ne veut rien dire; mais après quelque cinq minutes longues comme des années que nous passâmes à avaler notre salive, jusqu'à en avoir la langue épaisse et racornie dans nos bouches sèches, nous descendîmes l'un après l'autre dans la péniche : dans la cale avant, rien, des harengs. Derrière Hotten Sonntag, je m'aventurai pour la première fois par le compartiment étanche, fouillai superficiellement l'ancien carré des officiers ; je dus remonter par l'écoutille juste avant d'éclater, passai encore deux fois par le compartiment étanche et ne renonçai à plonger qu'après une bonne demi-heure. Nous étions sept ou huit à plat sur la passerelle, délibérant. Les mouettes resserraient leur cercle; elles devaient avoir deviné quelque chose. Heureusement qu'il n'y avait pas de troisièmes à bord de la péniche. Tous se taisaient ou parlaient pêle-mêle. Les mouettes effectuaient une esquive latérale, revenaient. Nous mettions d'aplomb des paroles de circonstance pour le maître-baigneur, pour la mère de Mahlke, pour sa tante et pour Klohse, car il fallait compter sur un interrogatoire. Ils me chargèrent, puisque j'étais pour ainsi dire voisin avec les Mahlke, de la visite à l'Allée de l'Est. Schilling devait être porte-parole devant le maître-baigneur et au lycée.

— S'ils ne le trouvent pas, il faudra venir à la nage avec une couronne et faire ici une cérémonie.

— On se cotisera. Chacun au moins cinquante pfennigs.

— Ou bien on la jettera d'ici par-dessus bord, ou bien on l'immergera dans le gaillard d'avant.

— Faudra aussi chanter quelque chose, dit Kupka; mais ce rire creux et métallique qui suivit sa proposition ne venait d'aucun d'entre nous : c'était à l'intérieur de la passerelle que l'on riait. Et tandis que nos regards se fuyaient encore l'un l'autre et que nous attendions une récidive du rire, à nouveau quelqu'un rit vers l'avant, d'un rire normal et sans effet de volume. La raie axiale ruisselante, Mahlke se dégageait de l'écoutille; sa respiration était à peine forcée; il frottait le coup de soleil frais qu'il avait à la nuque et aussi sur les épaules et, d'un ton de raillerie à peine dédaigneuse, plutôt débonnaire, il dit : « Eh bien, vous avez-t-y composé le discours, m'avez déjà porté manquant ? »

Avant le retour à la nage — peu après cet épisode éprouvant, Winter avait eu une crise de hurlements et il fallut le calmer — Mahlke descendit une fois encore dans la péniche. Au bout d'un quart d'heure — Winter sanglotait encore — il était à nouveau sur la passerelle et portait sur ses deux oreilles un casque d'écoute, extérieurement intact, à peine moisi, comme en portent les radios; car Mahlke avait trouvé à mi-bateau l'accès d'un compartiment qui occupait l'intérieur de la passerelle de commandement au-dessus du niveau de l'eau : l'ancienne cabine-radio du dragueur de mines. Ce local avait un sol sec, dit-il, mais on n'y était pas au large. Enfin il admit avoir trouvé l'accès de la cabine en dégageant le bizuth de troisième coincé entre les tuyaux et les faisceaux de câbles. « J'ai tout bien recamouflé. Pas un cochon ne le trouvera. Mais quel boulot. Maintenant, la boîte m'appartient, histoire de vous faire assavoir. C'est tout à fait intime. On pourrait s'y planquer si ça sentait le roussi. Il y a encore un tas d'appareils techniques, émetteur et tout. Faudrait le refaire fonctionner. J'essaierai à l'occasion. »

Mais jamais Mahlke n'y est parvenu. Du reste, il n'essaya même pas. Et même si d'aventure il a, étant en bas, un peu bricolé en douce, ça n'a pas marché. C'était un adroit bricoleur, expert en matière de modélisme, et pourtant jamais ses projets n'avaient une orientation technique; de plus, la police du port ou la marine nous auraient emballés si Mahlke avait remis l'émetteur en service et lancé des messages en l'air.

Ce qu'il fit, c'est d'évacuer de la cabine tout l'appareillage technique, qu'il donna à Kupka, Esch et aux troisièmes; il garda seulement les écouteurs une semaine durant sur les oreilles et ne les jeta par-dessus bord que lorsqu'il entreprit de réaménager la cabine-radio.

Des livres — je ne sais plus lesquels; je crois que c'étaient *Tsoushima, le roman d'une bataille navale* et un ou deux tomes de Dwinger, *Passion allemande*, et des ouvrages de piété aussi, dans le tas — enveloppés de couvertures de laine usagées, le paquet enveloppé de toile cirée, enduit de poix, de goudron ou de cire aux coutures, chargés sur un radeau maniable de bois flotté, et qu'il remorquait à la nage, ce à quoi nous l'aidâmes en partie, jusqu'à la péniche. Selon ses dires, il serait parvenu à transporter livres et couvertures dans la cabine sans autant dire les mouiller, le transport suivant fut de bougies, plus un réchaud à alcool, du combustible, une gamelle d'aluminium, du thé, des flocons d'avoine et des légumes déshydratés. Souvent il restait absent plus d'une heure et ne répondait pas quand nous frappions à tour de bras pour le contraindre à revenir

Naturellement nous l'admirions. Mais c'était à peine si Mahlke en prenait note; il devenait de plus en plus laconique et ne tolérait plus qu'on l'aidât au transport de son fourbi. Quand sous nos yeux il roula en cylindre étroit la reproduction en couleurs de la Madone de la Sixtine que je connaissais pour l'avoir vue dans sa chambre, Allée de l'Est, la glissa dans un segment de tringle à rideaux en laiton, mastiqua les extrémités ouvertes à l'aide de plastiline et dirigea la Madone au Tuyau premièrement sur la péniche, ensuite sur la cabine, je sus à qui s'adressait son effort, pour qu'il aménageât un logement dans la cabine.

Impossible que la reproduction ait subi la plongée sans dommage — ou bien le papier souffrait à vue d'œil dans le réduit exigu, peut-être embué, qui ne pouvait recevoir d'air frais à suffisance, parce qu'il ne donnait ni sur les hublots ni sur les manches à air, d'ailleurs submergées; en tout cas, peu de jours après avoir introduit la polychromie dans la cabine, Mahlke portait derechef quelque chose au cou : pas un tournevis, mais la plaquette de bronze portant en bas-relief la Vierge dite Noire de Czenstochowa — car elle avait un œillet de suspension — pendue à un lacet de soulier noir juste sous la clavicule. Nous haussions déjà des sourcils éloquents, songeant ça y est, voilà qu'il recommence son mic-mac avec la Madone, quand Mahlke, à peine étions-nous accroupis sur la passerelle et un peu séchés, disparut dans l'avant du navire; mais à peine un quart d'heure plus tard il était à nouveau parmi nous sans lacet de soulier ni pendentif et, derrière l'habitacle du compas, répandait l'impression d'être satisfait.

Il sifflait. Pour la première fois j'entendis siffler Mahlke. Naturellement il ne sifflait pas pour la première fois. Mais pour la première fois je m'avisai qu'il sifflait, et de la sorte c'était la première fois qu'il faisait une bouche pointue; mais je fus le seul, car j'étais avec lui le seul catholique à bord, à faire écho : il sifflait un cantique de la Vierge après l'autre, évolua sur son derrière jusqu'aux restes du bastingage, et se mit, jambes ballantes et avec une bonne humeur ostentatoire, d'abord à battre la mesure contre la paroi branlante de la passerelle puis, surmontant ce vacarme sourd, il se mit à dévider sans hésitations toute la séquence de Pentecôte : *Veni, Sancte spiritus* et ensuite — je m'y étais attendu — la séquence du vendredi des Rameaux. Toutes les dix strophes du *Stabat Mater Dolorosa* jusqu'à *Paradisi Gloria* et à l'*Amen* y passèrent comme sur des roulettes; moi qui, ci-devant enfant de chœur zélé, puis sporadique de M. l'abbé Gusewski, c'est tout juste si j'aurais pu reconstituer les débuts de strophes.

Mais lui sans effort apparent lançait son latin aux mouettes, et les autres : Schilling, Kupka, Esch, Hotten Sonntag et le reste, se redressèrent, écoutèrent, énoncèrent des « Ben mon vieux » et des « Tu vas en avoir la dalle sèche » et prièrent Mahlke de bisser le *Stabat Mater*, bien que rien ne fût plus étranger aux gars que le latin et les textes d'Église.

Tu n'avais pourtant pas, je crois, prémédité le plan de transformer la cabine-radio en un oratoire de Marie. La plupart des menus objets que tu transportas à bord n'avaient rien à faire avec elle. Bien que je n'aie jamais visité ta retraite — nous n'y arrivions pas, tout simplement — je me l'imaginais comme une édition réduite de ta mansarde de l'Allée de l'Est. Seuls les géraniums et les cactées que ta tante, souvent contre ta volonté, avait disposés sur l'appui de fenêtre et sur une étagère ad-hoc à multiples étages, n'avaient pas de répondants chez l'ancien radio, sinon le transfert était accompli.

Après les livres et les ustensiles de cuisine y passèrent les maquettes de navires confectionnées par Mahlke : l'aviso *Grille* et le tropilleur de la classe Wolf, échelle 1/1250. De l'encre et plusieurs porte-plumes, une règle, un compas d'écolier, sa collection de papillons et le hibou blanc empaillé furent contraints de plonger avec lui. J'admets que, dans la boîte ruisselante d'eau de condensation, le mobilier de Mahlke devint peu à peu indescriptible. Les papillons surtout dans leurs boîtes à cigares vitrées doivent avoir souffert de l'humidité, habitués qu'ils étaient à l'air sec de la mansarde.

Mais justement nous admirions le côté insensé et sciemment destructeur de ce jeu de déménagement prolongé; et l'ardeur de Joachim Mahlke à rendre au bateau petit à petit les pièces qu'il avait laborieusement démontées au cours de deux étés — il transplanta en bas le petit père Pilsudski, les plaques portant les instructions de service — nous permit en dépit des outrageux bizuths de troisième de tuer à bord de la péniche un été derechef amusant, voire intéressant, pour qui la guerre n'avait duré que quatre semaines.

Pour citer un exemple : Mahlke nous offrit de la musique. Le phonographe qu'en été quarante, la six ou septième fois peut-être que nous étions venus avec lui sur la péniche, il avait retiré de l'avant ou du carré des officiers, au prix de pénibles opérations de détail, réparé dans sa chambre et pourvu d'un nouveau plateau de feutre fut, avec une douzaine de disques, sans doute le dernier colis qu'il entreposa sous la passerelle et, pendant les deux journées que dura ce travail, il ne put se refuser de porter au cou à un lacet, selon un modèle éprouvé, la manivelle du truc.

Le phonographe et les disques durent avoir bien supporté le voyage par l'avant et le compartiment étanche jusqu'aux locaux situés à mi-bateau car la même après-midi où Mahlke avait achevé le transport par étapes il nous surprit par une musique creuse, chevrotante, qui venait d'ici et d'ailleurs, mais toujours de l'intérieur de la péniche. Ça devait ébranler rivets et bordés. Bien que le soleil, quoique déjà oblique, donnât encore sur la passerelle, nous en avions la peau rétrécie. Naturellement on gueula : « Arrête! Continue! Encore un! » et nous fûmes admis à entendre un célèbre *Ave Maria* de caoutchouc extensible qui eut pour effet d'aplanir une mer moutonneuse; il ne faisait rien sans la Vierge. Et puis des airs d'opéra, des ouvertures — ai-je déjà dit que Mahlke en tenait pour la musique grave ? — en tout cas nous fûmes régalés d'un éprouvant extrait de la *Tosca*, d'une musique pour contes de fées de Humperdinck et d'un morceau de la symphonie qui commence par Dadada Daah, laquelle nous était bien connue grâce au concert des auditeurs.

Schilling et Kupka gueulaient pour avoir du moderne; mais il n'en avait pas. Seulement quand à fond de cale il mit un disque de Zarah Leander, l'effet produit fut absolument formidable. Sa voix sub-aquatique nous mit à plat-ventre sur la rouille et le guano verruqueux. Je ne sais plus ce qu'elle chantait. Chez elle, c'était toujours graissé à la même huile. Mais elle chanta aussi un extrait d'opéra que nous connaissions par le film *Pays natal*. Chanta *Ah je l'ai perdue, la patrie*, râla *Le vent m'a dit une chanson*, prophétisa *Il va se faire des prodiges*. Elle avait une voix d'orgue à conjurer les éléments, nous servait tout un assortiment d'heures sentimentales : et Winter sanglotait, pleurait assez souvent, mais les autres aussi palpitaient des cils.

Et puis les mouettes. Toujours nerveuses à propos de rien; leur jeu, quand la Zarah était sur le plateau, devenait absolument fou. Leur piaillement à couper le verre, issu des âmes de ténors défunts, surmontait le contralto grave, imitable mais jamais imité, sépulcral, de cette star qu'en ces années de guerre l'arrière aimait, cette star bénie du ciel et qui faisait couler des larmes.

Plusieurs fois, jusqu'à ce que les disques fatigués ne pussent émettre hors de l'épave autre chose qu'un gargouillis et un grattement, Mahlke nous offrit ce concert. Jusqu'à ce jour jamais musique n'a pu me procurer autant de plaisir, encore que je manque à peine un concert à la salle Robert Schumann et que, sitôt en fonds, j'achète des microsillons de Monterverdi à Bartok. Muets et insatiables, nous étions assis en tailleur au-dessus du phonographe et l'appelions ventriloque. Nous ne trouvions plus de formules laudatives. Certes nous admirions Mahlke; mais au milieu du remous aquatique de ses bruits l'admiration faisait volte-face : nous le trouvions écœurant au point de ne pas le regarder. Alors, et tandis qu'un cargo plein à couler entrait dans le port, il nous faisait un peu de peine. Nous craignions aussi Mahlke, il nous tenait en laisse. Et j'avais honte d'être vu dans la rue avec Mahlke. Et j'étais fier quand la sœur de Hotten Sonntag ou bien la môme Pokriefke me rencontrait à ton côté devant le cinéma ou bien sur le terrain de manœuvre. Tu étais notre sujet de conversation. Nous faisions des paris : « Qu'est-ce qu'il va faire à présent ? Je te parie qu'il a encore des maux de gorge ! Je prends tous les paris : il va se rependre quelque chose, ou bien il prend la vedette, ou bien il invente un truc énorme. »

Et Schilling dit à Hotten Sonntag : « Dis voir, sincèrement, si ta sœur sortait avec Mahlke, au ciné ou autrement, qu'est-ce que tu, dis voir sincèrement. »

# VII

L'apparition du lieutenant de vaisseau et commandant de sous-marin, objet des plus hautes distinctions, dans la salle des fêtes de notre lycée moderne, mit fin aux concerts à l'intérieur de l'ancien dragueur de mines polonais *Rybitwa*. Pourtant, s'il n'était pas venu, les disques, le phonographe auraient tout au plus fonctionné quatre jours de plus; mais il vint; sans avoir besoin de rendre visite à notre péniche, il arrêta la musique sous-marine et donna à toutes les conversations roulant sur Mahlke une orientation nouvelle, sinon fondamentalement nouvelle.

Le lieutenant de vaisseau peut avoir passé son baccalauréat en trente-quatre. On racontait de lui qu'avant d'entrer dans la Marine comme volontaire il avait été vaguement étudiant en théologie et en germanistique. Je ne puis faire autrement que de qualifier son regard d'ardent. Cheveux épais, frisés, peut-être fibreux, style buste romain. Pas de barbe de sous-marinier, mais des sourcils avancés en auvent. Un moyen terme entre le front de penseur et le front de rêveur; pour ce motif, pas de rides transversales mais, partant de la racine du nez, deux lignes abruptes, ascendantes, cherchant toujours

Dieu. Reflets de lumière au point extrême d'une courbure hardie. Le nez. délicat et net. La bouche qu'il ouvrait pour nous était une bouche de locuteur à courbes suaves. La salle archi-comble, soleil matinal en plus. Nous étions perchés sur les fenêtres. Sur le désir de qui on avait invité à la conférence du locuteur à courbes suaves les deux classes supérieures du Lycée Gudrun ? Les filles occupaient les bancs de devant, auraient dû porter des soutiens-gorge mais n'en portaient pas. D'abord Mahlke ne voulait pas en être quand le concierge annonça l'exposé. Je sentis un vent favorable et te pris par la manche. A côté de moi dans la niche — et derrière nous et les carreaux, immobiles, les marronniers de la cour de récréation — Mahlke tremblait avant que le frégaton ait ouvert sa bouche de locuteur. Les creux poplités de Mahlke emprisonnaient les mains de Mahlke : mais le tremblement persista. L'assemblée des professeurs, ainsi que deux profs femmes du Lycée Gudrun, remplissait un demi-cercle de chaises en chêne à hauts dossiers et capitons de cuir, soigneusement disposées par le concierge. En battant des mains, le professeur Moeller opéra petit à petit le silence pour le proviseur Klohse. Derrière les nattes doubles et les nattes Mozart des lycéennes étaient assis des quatrièmes avec couteaux de poche : plusieurs filles ramenèrent leurs nattes en avant. Ne restèrent aux quatrièmes que les nattes Mozart. Cette fois il n'y eut pas d'exorde. Klohse parla de tous ceux qui sont loin de nous, de tous ceux qui sur terre, sur l'eau et dans l'air, parla longtemps, et avec une faible pente, de lui-même et des étudiants de Langemarck, en quatorze, et Walter Flex mourut au champ d'honneur dans l'île d'Osel, citation : mûrir et rester pur : vertu virile. Idem sans transition Fichte et Arndt dix-huit cent treize, citation : De toi et de tes actions seules. Souvenir d'une excellente dissertation que le lieutenant de vaisseau avait rédigée étant élève de seconde sur Arndt et Fichte : « Un de nous, un d'entre nous, issu de la tradition de notre lycée, et c'est dans cet esprit que nous voulons... »

Dois-je dire avec quelle complexité, pendant le topo introductif de Klohse, des billets circulèrent entre nous, dans les niches de fenêtres, et les filles de seconde ? Naturellement, les quatrièmes gribouillaient en surimpression leurs obscénités.

J'envoyai un billet avec je ne sais quoi dessus ou bien à Véra Plötz ou bien à Hildchen Matull, mais ne reçus de réponse ni ni. Les creux poplités de Mahlke emprisonnaient toujours les mains de Mahlke. Le tremblement vida ses accus. Le lieutenant de vaisseau sur l'estrade était assis, légèrement écrasé, entre le vieux professeur Brunies, qui comme toujours suçait des bonbons sans se gêner, et le Docteur Stachnitz, notre professeur de latin. Tandis que le topo introductif se débobinait, que circulaient les billets, que les quatrièmes avec leurs couteaux, que le regard du Führer en photo rencontrait le regard peint à l'huile du baron von Conradi, que le soleil matinal s'évadait de la salle des fêtes, le capitaine de vaisseau humectait sans arrêt sa bouche locutrice aux courbes légères, fixait sur le public un regard grognon et épargnait à grand-peine les lycéennes. La casquette de frégaton correctement sur les genoux parallèles. Gants sous la casquette. Uniforme de sortie. Le machin à son cou, distinct, sur une chemise d'une blancheur inouïe. Brusque mouvement de tête, la décoration obéit à moitié, vers les fenêtres latérales de la salle : Mahlke tressaillit, se sentit reconnu sans doute, mais il n'en était rien. Par cette fenêtre dont nos postérieurs occupaient la niche, le commandant de sous-marin regardait les poussiéreux marronniers immobiles; que peut-il penser, que peut penser Mahlke, que peut Klohse tandis qu'il parle, le professeur Brunies tandis qu'il suce, et que peut Véra Plötz tandis que ton billet, et quoi Hildchen Matull, que peut-il-il-il penser, Mahlke ou bien l'homme à bouche de locuteur, pensais-je alors ou pensé-je aujourd'hui; car il serait instructif de savoir ce que pense un commandant de sous-marin, quand il est contraint d'écouter et laisse son regard vagabonder sans fils croisés et sans horizon dansant, pour que le lycéen Mahlke se sente concerné; mais il ne faisait que regarder, par-dessus les têtes de lycéens, par les vitres des doubles fenêtres, le vert sec d'arbres qui n'y étaient pour rien dans une cour de récréation, et de sa langue rouge clair il humecta une fois encore circulairement la bouche locutrice en question, car Klohse, à grand renfort de pippermint, tentait de lancer une dernière phrase au-delà du milieu de la salle : « Et maintenant nous autres de l'arrière allons attentivement recevoir ce que vous, fils de notre peuple, savez relater du front, des fronts. »

La bouche locutrice avait fait illusion. Parfaitement incolore, le lieutenant de vaisseau donna un tableau d'ensemble comme n'importe quel calendrier de la flotte : Mission des sous-marins. Sous-marins allemands pendant la première guerre mondiale : Weddigen, *U*-9, sous-marin, décide de la campagne des Dardanelles, au total treize millions de tonnes brutes de registre, ensuite nos sous-marins de deux cent cinquante tonnes, moteurs électriques en plongée, diesels en surface, le nom de Prien, puis Prien sur l'*U*-47, et le lieutenant de vaisseau Prien envoya par le fond le *Royal Oak* — nous le savions tous, nous le savions tous — et aussi le *Repulse* et Schuhart le *Courageous* et cætera et cætera. Et de placer la vieille antienne « L'équipage, une communauté fondée sur le serment, car loin de la patrie, charge énorme pour les nerfs, faut vous représenter, en plein Atlantique ou bien dans l'océan Arctique, notre bateau, une vraie boîte à sardines, exigu, moite, surchauffé, les gars doivent dormir sur les torpilles de réserve, pendant des jours entiers rien, l'horizon vide, puis enfin un convoi, fortement escorté, tout doit comme à la manœuvre, pas un mot de trop ; et quand nous eûmes expédié notre premier pétrolier, l'*Arndale*, dix-sept mille deux cents tonnes il avait, par deux torpilles à mi-bateau, alors je pensai, que vous me croyiez ou pas, mon cher Docteur Stachnitz, à vous, et, sans avoir débranché le haut-parleur, je commençai à haute voix : *Qui quæ quod, cujus cujus cujus*... jusqu'à ce que notre capitaine me rappelât à l'ordre par haut-parleur : Très bien, lieutenant, vous avez congé aujourd'hui ! Mais une croisière militaire n'est malheureusement pas faite que d'attaques, et torpille Un et torpille Deux feu ! des jours entiers la mer pareille, le bateau qui roule et qui tangue, et par là-dessus le ciel, un ciel à donner le vertige, je vous dis, et il y a des couchers de soleil... »

Ce lieutenant de vaisseau avec son truc épinglé très haut sur le cou, bien qu'il eût coulé deux cent cinquante mille tonnes, un croiseur léger de la classe Despatch et un grand destroyer de la classe Tribal, remplissait son discours moins de comptes rendus détaillés de victoires que de verbeuses descriptions de la nature; il s'évertuait à de hardies comparaisons, disait : « ... une écume d'une aveuglante blancheur soulève la mer à la poupe, suit comme une traîne flottante de dentelle précieuse le bateau qui tel une mariée en parure de fête, éclaboussé de voiles d'embruns, se rend à la noce mortelle. »

Les filles n'étaient pas seules à s'étouffer de rire; mais une comparaison toute proche effaça la mariée : « Un tel sous-marin est comme une baleine à bosse, dont la vague d'étrave ressemble à la moustache multiplement frisée d'un hussard. »

De plus, le frégaton s'entendait à prêter à de sobres expressions techniques l'obscur retentissement de la féerie. Probable qu'il visait dans son exposé l'oreille de son ancien maître d'allemand le papa Brunies, connu pour raffoler du romantique Eichendorff, plutôt que notre direction; Klohse avait mentionné plusieurs fois ses dissertations torrentielles. Et nous entendions ainsi prononcer comme des runes : « Pompe de sentine », « Homme de barre. » Il croyait sans doute, quand il disait « Compas-mère » ou « Compas-gyroscopiques-filles », nous apporter des nouveautés. Or nous avions assimilé depuis des années tout le fourbi de la marine. Mais lui se posait à la bonne tante conteuse d'histoires, énonçait les mots « quart du second », les mots « panneau étanche » ou bien cette expression pénétrable à quiconque « mer moutonneuse », comme si par exemple ce bon vieil Andersen ou les frères Grimm avaient à voix basse parlé d' « impulsion Asdic ».

Il devint pénible quand son pinceau entreprit de détailler les couchers de soleil : « Et avant que la nuit atlantique, comme un voile tissu de corbeaux, arrive sur nous, les couleurs se dégradent comme jamais elles ne le font au pays, un orage s'élève, charnel et contre nature, puis léger comme un voile, précieux sur les bords, comme dans les tableaux des vieux maîtres, intercalé de nuages au délicat plumage; quel étrange flamboiement sur la mer qui roule sanglante ! »

Donc, l'objet rigide à son cou, il faisait retentir et gazouiller un orgue à couleurs, passait du bleu aqueux par le jaune citron vitreux au pourpre brunâtre. Chez lui, le coquelicot grimpait au ciel. Par-ci par-là des nuages, d'abord argentés, puis teints de couleur : « Ainsi doivent saigner les oiseaux et les anges ! » dit-il littéralement avec sa bouche locutrice et puis, du milieu de cet événement naturel audacieusement décrit, soudain, de ces petits nuages bucoliques, il fit plonger sur le sous-marin un hydravion de type Sunderland puis, après que l'hydravion eut étalé son impuissance, de la même bouche locutrice, mais sans comparaisons, il passa à la deuxième partie de l'exposé, bref, sec, supérieur. « Je suis au tabouret du périscope. On attaque. Navire frigorifique probablement : coule par l'arrière. Sous-marin plonge à cent dix. Destroyer arrive, azimuth navire cent soixante dix, bâbord dix, nouveau cap cent vingt; on est à cent vingt grades;

bruit d'hélices s'éloigne; revient, cent quatre-vingts grades passés, grenades sous-marines : six sept huit onze; lumière s'éteint, enfin éclairage de secours et coup sur coup avis de bonne marche des postes. Destroyer a stoppé. Dernier relèvement cent soixante, bâbord dix. Nouveau cap quarante-cinq grades... »

Malheureusement cet encart réellement passionnant fut suivi de nouvelles descriptions de la nature : « l'Hiver atlantique » ou bien « Phosphorescence en Méditerranée »; item un tableau d'ambiance : « Noël à bord du sous-marin », avec l'obligatoire balai transformé en arbre de Noël. Pour conclure il transposa poétiquement sur le plan mystique le retour après mission victorieuse à l'ennemi, avec Ulysse et tout le tralala : « Les premières mouettes annoncent le port. »

Je ne sais pas si le proviseur Klohse termina par la péroraison qui nous était familière : « Et maintenant au travail ! » ou si l'on chanta « Nous aimons les tempêtes ». Je me rappellerais plutôt les applaudissements retenus, mais respectueux, une assemblée se levant irrégulièrement, en commençant par les nattes. Quand je me tournai, cherchant Mahlke du regard, il était parti, et je ne vis que sa raie médiane émerger plusieurs fois près de la sortie de droite; mais je ne pus, car une de mes jambes s'était engourdie pendant l'exposé, quitter aussitôt la niche et sauter sur les planches cirées.

C'est seulement dans le vestiaire à côté de la salle de gym que je rejoignis Mahlke, mais je ne trouvai pas de premier mot pour lancer la conversation. Déjà, pendant qu'on se mettait en tenue, des rumeurs circulèrent :

l'honneur nous revenait, car le lieutenant de vaisseau avait prié Mallenbrandt, son ancien prof de gym, de lui permettre de prendre part à la leçon dans la bonne vieille salle, bien qu'il fût à peine entraîné. Pendant l'heure jumelée qui terminait toujours les classes du samedi, il nous montra d'abord à nous, puis aux classes terminales qui depuis le début de la seconde heure partageaient la salle avec nous, ce qu'il savait faire.

Trapu, longs poils noirs en bas, bien bâti. Il s'était fait prêter par Mallenbrandt la culotte rouge traditionnelle, le maillot de gym blanc à bande rouge avec un C noir imprimé dans la bande. Pendant qu'il se mettait en tenue, un essaim s'accrochait à lui : « Est-ce quc je peux regarder de près ? Combien de temps dure ? Et quand alors on ? Mais un ami de mon frère qui est dans les vedettes rapides dit... » Ses réponses venaient, patientes. Plusieurs fois il rit sans raison mais de façon contagieuse. Le vestiaire hennit, et pour ce motif Mahlke me frappa : il ne riait pas avec les autres, il était occupé à plier et pendre ses vêtements.

Le sifflet à roulette de Mallenbrandt nous appela dans la salle et sous la barre fixe. Le frégaton faisait le moniteur, prudemment soutenu par Mallenbrandt, c'est-à-dire que nous n'avions pas à fournir d'effort particulier, parce qu'il tenait à nous démontrer quelque chose, entre autres le grand soleil avec sortie à l'écart. A part Hotten Sonntag, seul Mahlke suivit le mouvement; mais personne n'avait envie de le regarder tant son style était affreux et ses genoux tordus quand il arracha le soleil et le saut à l'écart. Quand le frégaton commença avec nous une gymnastique au sol souple et soigneusement construite, la pomme d'Adam de Mahlke dansait toujours comme une folle qu'une mouche aurait piquée. Dans le saut de lion par-dessus sept hommes avec réception en roulade avant, il se foula sans doute le pied, resta assis sur une poutre avec son cartilage vivant et doit s'être éclipsé au moment où les classes terminales arrivèrent au début de la seconde heure. Il ne reprit avec nous qu'au match de balle au panier, marqua aussi trois ou quatre paniers; nous perdîmes quand même.

Notre salle de gym néogothique produisait un effet tout aussi solennel que la chapelle Sainte-Marie de Nouvelle-Écosse, de quelque plâtre multicolore et de quelque emphase ecclésiastique, don de mains pieuses, que Monsieur l'abbé Gusewski pût embarrasser la lumière gymnique ruisselant par les larges fenêtres de la façade. Si là-bas, la clarté régnait sur tous les mystères, nous autres nous faisions la gym dans une mystérieuse pénombre : notre salle de gym avait des fenêtres ogivales dont les ornements de brique subdivisaient le vitrage en rosettes et en vessies de poisson. Tandis qu'à la chapelle Sainte-Marie le sacrifice, la transsubstantiation et la communion restaient des processus opératoires éclairés a giorno, dépourvus de magie et circonstanciés — on aurait pu en guise d'hosties répartir aussi bien des garnitures de portes, des outils ou bien comme jadis des engins de gym, des battes ou des témoins de relais — sous la lumière mystique de notre salle, le simple tirage au sort entre les deux équipes de balle au panier qui achevaient l'heure par une partie de dix minutes sur un rythme enlevé, devenait chose solennelle et émouvante, analogue à une consécration sacerdotale ou à une confirmation; et la retraite des victimes du tirage au sort dans l'arrière-plan ténébreux avait lieu dans l'humilité d'un acte religieux. Surtout quand le soleil luisait au dehors et que par le feuillage des marronniers et par les fenêtres ogivales, quelques rayons de soleil matinal trouvaient moyen d'entrer, il se produisait, dès qu'on travaillait aux anneaux ou au trapèze, et grâce à la lumière latérale oblique, des effets d'atmosphère. Pour peu que je m'en donne la peine, je vois encore aujourd'hui le lieutenant de vaisseau trapu, en culotte de gym rouge enfant de chœur de notre lycée évoluer avec légèreté et sans à-coups au trapèze, je vois ses pieds — il travaillait pieds nus — impeccablement en extension plonger dans un des rayons obliques pailletés d'or, je vois ses mains — car tout à coup il travaillait en suspension par les genoux — se tendre vers une semblable piste lumineuse grouillante d'or en poudre; elle était si merveilleusement archaïque, notre salle de gym, et même les vestaires recevaient le jour par des fenêtres ogivales. C'est pourquoi nous appelions le vestiaire : la sacristie.

Mallenbrandt siffla et, après le match de balle au panier, classes terminales et secondes durent se rassembler en rang, chanter pour le lieutenant de vaisseau « Dans la rosée du matin, nous grimpons la côte, fallera » puis nous fûmes renvoyés au vestiaire. De nouveau on assiégea le lieutenant de vaisseau. Seuls les premières montraient moins d'insistance. Pendant que le frégaton, après s'être soigneusement lavé les mains et les aisselles au-dessus de l'unique lavabo — nous n'avions pas de douches —

remettait son linge de dessous avec des gestes prompts, ôtait sans outrager la décence la tenue de gym qu'on lui avait prêtée, il dut encore répondre aux questions des lycéens et le fit en riant, gentiment, avec un air supportable de supériorité; puis soudain rester muet entre deux questions : des mains qui tâtent, incertaines, une recherche d'abord dissimulée, puis manifeste, jusque sous le banc. — « Minute, les gars, je reviens tout de suite sur le pont » — et, en pantalon bleu marine, chemise blanche, sans souliers mais en chaussettes, le frégaton se frayait un chemin entre les lycéens et les banquettes à travers l'odeur du zoo : une vraie fauverie. Son col était ouvert et relevé, prêt à recevoir la cravate et le ruban portant cette décoration que je ne saurais nommer. A la porte du vestiaire-bureau de Mallenbrandt était fixé l'emploi du temps hebdomadaire de la salle. Simultanément il frappa et entra.

Qui, comme moi, ne misa pas sur Mahlke. Je ne suis pas sûr d'avoir tout de suite, mais en tout cas je ne criai pas à haute voix : « Où est donc Mahlke ? » Schilling ne dit rien, Hotten Sonntag, Winter, Kupka, Esch, nul ne souffla mot; plutôt l'unanimité se fit sur le chétif Buschmann, un môme qui, même après une douzaine de gifles, ne pouvait renoncer à un ricanement perpétuel qui lui était inné.

Quand Mallenbrandt en peignoir de bain pelucheux fut parmi nous avec le lieutenant de vaisseau à demi-vêtu, et rugit : « Qui est-ce ? Il doit se dénoncer! » On poussa devant lui Buschmann. Moi aussi je lançai le nom de Buschmann, et je fus même capable de me dire à part moi et sans contrainte : « Très juste, ce ne peut être que Buschmann, qui sinon Buschmann. »

Tout à l'extérieur seulement, à l'occiput, un fourmillement se fit sentir tandis que Buschmann était cuisiné de plusieurs côtés, y compris par le frégaton et le chef de classe de première. Et le fourmillement s'incrusta quand Buschmann reçut sa première gifle, parce que même l'interrogatoire le plus grave ne pouvait abolir le ricanement de son visage. Tandis que mes yeux et mes oreilles attendaient un aveu éclatant de Buschmann, une certitude m'escaladait la nuque : hé hé, et si c'était un certain Untel !

Déjà je vacillais dans mon expectative d'un mot explicatif du ricanant Buschmann, surtout que la quantité de gifles à lui décernées par Mallenbrandt trahissait l'incertitude. Il n'était plus question de l'objet volé, mais il criait entre les coups : « Cesse de ricaner ! Ne ricane pas ! Je vais te le faire passer, ton ricanement ! »

Soit dit entre nous, Mallenbrandt n'y arriva pas. Je ne sais si Buschmann existe encore aujourd'hui; mais s'il existe un dentiste, vétérinaire ou médecin-assistant Buschmann — Heini Buschmann voulait faire sa médecine — c'est à coup sûr un docteur Buschmann ricanant; car ça ne se perd pas si vite, ça tient, ça saute les guerres et les réformes monétaires et dès lors, quand le lieutenant de vaisseau à col veuf attendait l'issue de son interrogatoire, c'était déjà supérieur aux gifles de M. le professeur Mallenbrandt.

Furtivement — bien que Buschmann concentrât sur lui les regards, je me tournai vers Mahlke; je n'eus pas à le chercher, car je connaissais sa nuque : c'est là qu'il avait en tête les cantiques à Marie. Habillé, pas très éloigné mais à l'écart de toute cohue, il boutonnait le bouton supérieur d'une chemise qui, d'après la coupe et la rayure, devait provenir de l'héritage paternel. En se boutonnant, il avait du mal à mettre derrière le bouton ses attributs caractéristiques.

A part ce trifouillage du col et le travail d'appui fourni par les muscles masticateurs, Mahlke donnait une impression de tranquillité. Quand il eut compris que le bouton ne fermerait pas sur sa pomme d'Adam, il attrapa dans la poche intérieure de sa veste encore suspendue une cravate froissée. Personne chez nous ne portait de cravate nouée; quelques snobs de seconde et de première portaient de ridicules papillons. Deux heures auparavant, quand le frégaton faisait en chaire son exposé naturiste, Mahlke portait encore son col ouvert; mais déjà la cravate, froissée dans sa poche, guettait la grande occasion.

La première cravate de Mahlke! Devant le miroir unique, d'ailleurs taché, du vestiaire, il nouait, sans s'approcher, plutôt à distance et pour la forme, le chiffon bariolé, écœurant pour mon goût d'aujourd'hui, autour de son col de chemise remonté, rabattait le col par-dessus, tirailla encore le nœud beaucoup trop volumineux et prononça ensuite, mezza voce mais avec netteté se détachant de façon intelligible sur la suite de l'interrogatoire, sur le bruit des gifles que Mallenbrandt, inlassablement et malgré les protestations du lieutenant de vaisseau, continuait à abattre sèchement sur le ricanement de Buschmann, ces mots : « Je suis prêt à parier que ce n'est pas Buschmann. Mais est-ce qu'on a déjà fouillé les vêtements de Buschmann ? »

Mahlke eut aussitôt des auditeurs. Pourtant il n'avait parlé qu'à la glace; sa cravate, le nouveau truc, ne frappa les yeux que plus tard, mais médiocrement. Mallenbrandt explora de ses propres mains les vêtements de Buschmann et trouva tout de suite un motif de gifler derechef son ricanement, car il trouva dans les deux poches de la veste plusieurs paquets entamés de préservatifs dont Buschmann faisait un petit trafic avec les élèves des classes supérieures; son père était droguiste. A part cela, Mallenbrandt ne trouva rien, et le lieutenant de vaisseau se fit une raison, noua sa cravate d'officier, rabattit le col, tapota du doigt la place vide, ci-devant objet des plus hautes distinctions, et proposa à Mallenbrandt de ne pas trop prendre l'histoire au sérieux : « Ça peut se remplacer. Ce n'est pas le bout du monde, Monsieur le Professeur. Simple farce de garnements ! »

Mais Mallenbrandt fit verrouiller salle de gym et vestiaire et, avec l'appui de deux premières, il inspecta nos poches ainsi que tout recoin de la pièce pouvant être considéré comme une cachette. Au début, le lieutenant de vaisseau aussi aida aux recherches, puis il s'impatienta et fit une chose qu'autrement personne n'osait faire dans le vestaire : il fuma cigarette sur cigarette, écrasa les mégots sur le linoléum et fut pris d'une mauvaise humeur manifeste quand Mallenbrandt sans mot dire lui poussa un crachoir qui, depuis des années, s'empoussiérait inutilisé près du lavabo et avait déjà fait l'objet d'un examen en tant que cachette possible. Le lieutenant de vaisseau rougit comme un gamin, ôta de sa bouche locutrice aux courbes suaves la cigarette à peine entamée, ne fuma plus, mais croisa les bras et se mit ensuite à chronométrer nerveusement le temps écoulé : d'un geste sec de boxeur, il faisait sortir sa montre-bracelet de la manche et marquait ainsi sa hâte.

Il prit congé, ganté, non loin de la porte et donna à entendre que la façon dont l'enquête avait été conduite ne lui convenait pas, qu'il confierait cette histoire ennuyeuse au directeur de l'école, car il n'avait pas l'intention de se laisser gâcher sa permission par de jeunes goujats.

Mallenbrandt lança la clé à un élève de première, et ce dernier fut assez maladroit, en ouvrant la porte du vestiaire, pour provoquer un silence pénible.

# VIII

La suite des investigations épuisa le samedi après-midi, ne donna aucun résultat et ne m'est restée présente qu'en peu de détails à peine racontables, car je n'avais de cesse de tenir à l'œil Mahlke et sa cravate ci-dessus mentionnée dont il remontait ou essayait de remonter le nœud de temps à autre, mais, pour rendre heureux Mahlke, il aurait fallu un clou — Il n'y avait rien à faire pour t'aider.

Et le lieutenant de vaisseau ? Si cette question se justifie, il y sera répondu en mots secs : il fut invisible pendant l'enquête de l'après-midi, et il se peut que des hypothèses jamais confirmées soient exactes : en compagnie de sa fiancée, il aurait couru les trois ou quatre magasins de la ville où se vendaient les décorations. Je ne sais plus qui de ma classe prétendait l'avoir vu le dimanche au Café des Quatre-Saisons : non seulement il était entouré de sa fiancée et des parents d'icelle, mais il ne manquait rien à son collet : et les clients du café peuvent avoir timidement observé qui c'est qu'était au milieu, s'efforçant de réduire gracieusement avec sa fourchette les gâteaux coriaces de la troisième année de guerre.

Mon dimanche ne me conduisit pas au café. J'avais promis à M. l'abbé Gusewski de servir la messe du matin.

Mahlke, cravaté de couleur, vint peu après sept heures; associé aux cinq petites vieilles habituées, il ne parvenait pas à masquer le vide de l'ancien gymnase. Il communia comme toujours au poste d'extrême gauche. La veille, juste après les perquisitions effectuées dans l'école, il devait être allé à la chapelle Sainte-Marie pour se confesser; ou bien tu auras en l'église du Sacré-Cœur, pour tel ou tel motif, chuchoté quelque chose à l'oreille de M. l'abbé Wiehnke.

Gusewski me retint, s'informa de mon père qui était en Russie, qui peut-être n'y était plus, car depuis des semaines on était sans aucune nouvelle de lui. Possible, comme je lui avais une fois de plus repassé et amidonné toutes ses chasubles et son aube, qu'il m'ait donné deux rouleaux de drops; en tout cas voici qui est sûr : Mahlke était déjà parti quand je quittai la sacristie. Il devait avoir un tramway d'avance. Je montai dans la baladeuse du Neuf à l'arrêt Place Max-Halbe. Schilling monta en marche rue de Magdebourg, alors que le tramway allait déjà bon train. Nous parlâmes de tout autre chose. Peut-être lui offris-je de ces drops à la framboise qu'avait lâchés M. l'abbé Gusewski. Entre Saspe-Château et Saspe-Cimetière, nous dépassâmes Hotten Sonntag. Il pédalait en crapaud sur un vélo de femme et avait la môme Pokriefke à califourchon sur le porte-bagage. La petite garce montrait toujours de lisses cuisses de grenouille, mais elle n'était plus plate de partout. Le vent de la course attestait la longueur de ses cheveux.

Comme nous dûmes, au croisement de Saspe, attendre la rame venant en sens inverse, Hotten Sonntag repassa en tête avec Tulla. Tous deux nous attendaient à l'arrêt de Brösen. La bicyclette s'appuyait à une corbeille à papiers du Syndicat d'Initiatives. Ils jouaient au petit frère et à la petite sœur, se tenaient engrenés par le petit doigt. La robe de Tulla était bleu-bleu-bleu lessive, trop courte, trop étroite et trop bleue de partout. C'était Hotten Sonntag qui portait le rouleau de peignoirs et cætera. Nous sûmes nous regarder sans un mot et nous comprendre; ce silence lourd de sens provoqua une phrase : « Bien sûr, y a que Mahlke, ou bien qui ? Un dur. »

Tulla voulut entendre le détail, insista et pointa le petit doigt sur nos côtes. Mais personne n'appela la chose par son nom. On en resta au lapidaire : « Qui, sinon Mahlke », au « Bien sûr ». Schilling, non, moi, je lançai un concept nouveau dans la brèche entre Hotten Sonntag et la petite tête de Tulla, je dis : « Le Grand Mahlke. C'est, ce ne peut être que, c'est le Grand Mahlke qui a fait le coup. »

Ce titre lui resta. Toutes les tentatives précédentes de coller un sobriquet sur le mot Mahlke échouèrent en peu de temps. Je me rappelle « Poule au riz »; de même, quand il était à l'écart, nous l'appelions « La Glotte ». Mais seul mon cri spontané : « C'est le Grand Mahlke qui a fait le coup » s'avéra viable. Et c'est pourquoi, sur ce papier, on dira de temps à autre « le Grand Mahlke » lorsqu'il s'agit de Joachim Mahlke.

A la caisse, Tulla nous libéra. Elle s'en alla au bain des dames et tendit sur ses omoplates le tissu de sa robe. Depuis le pavillon en véranda qui devançait le bain des messieurs s'offrait, pâle et jetée d'ombres par des cumulus de beau temps passant en files lâches, la mer. Eau : dix-neuf. Tous les trois, sans avoir à chercher, nous vîmes au-delà du second banc de sable quelqu'un nager sur le dos furieusement et avec beaucoup d'écume, cap sur les superstructures du dragueur de mines. Nous fûmes d'accord : un seul devait le rejoindre. Schilling et moi proposâmes Hotten Sonntag; lui, il aimait mieux rester couché avec Tulla Pokriefke derrière le pare-soleil du bain des familles, et saupoudrer de sable ses cuisses de grenouille. Schilling fit valoir qu'il avait trop bien déjeuné : « Des œufs et cætera. Ma grand-mère de Krampitz a des poules et quelquefois elle en apporte une petite douzaine pour le dimanche. »

Je ne trouvai rien. J'avais déjà déjeuné avant la messe. Je n'observais que rarement le commandement d'abstinence. De plus, ce n'était ni Schilling ni Hotten Sonntag qui avait dit « le Grand Mahlke », c'était moi; je le suivis à la nage sans hâte particulière.

Sur la passerelle entre le bain des dames et celui des familles il y eut presque éclat, parce que Tulla Pokriefke voulait venir avec. Elle était accroupie, un fagot de membres, sur la balustrade. Elle avait toujours, depuis des étés, ce maillot de bain pour enfant, gris souris, reprisé partout grossièrement, qui écrasait sa poitrine naissante, lui étranglait le haut des cuisses et soulignait d'un tricot feutré, entre les jambes, la raie du périnée. Elle tint, fronçant le nez et écarquillant les orteils, des propos malsonnants. Sous promesse d'un cadeau quelconque — Hotten Sonntag le lui coula dans l'oreille — elle voulut bien renoncer à m'accompagner; quand trois ou quatre bizuths de troisième, bons nageurs, que j'avais déjà vus souvent sur la péniche, enjambèrent la balustrade; ils avaient sûrement flairé quelque chose, car ils voulaient aller à la péniche, bien qu'ils ne voulussent pas en avoir l'air et dissent, invoquant un autre objectif : « On veut aller bien ailleurs. Sur le môle, ou bien on verra. » Hotten Sonntag couvrit mes arrières : « Celui qui le suit, je lui patine les roustons. »

Je pris un départ plongé plat depuis la passerelle, m'éloignai, changeant souvent de nage, et n'étais pas pressé. Tandis que je nageais et que j'écris, je tentais et je tente de penser à Tulla Pokriefke, car je ne voulais et ne veux pas toujours penser à Mahlke. C'est pourquoi je nageais le dos, c'est pourquoi j'écris : je nageais le dos. C'est dans cette position que je pouvais et que je peux voir Tulla Pokriefke, osseuse, en laine gris souris, accroupie sur la balustrade : elle diminue, dérive, fait mal, plus mal; car nous avions tous Tulla Pokriefke comme une écharde dans la chair — mais, quand j'eus dépassé le second banc de sable, elle était effacée, plus de point, d'écharde ou de désir, non, je ne m'éloignais plus de Tulla, j'allais rejoindre Mahlke, j'écris dans ta direction : je nageais la brasse et ne me hâtais pas.

Et notons au passage entre deux brassées — l'eau porte bien! C'était le dernier dimanche avant les grandes vacances. Que se passait-il en ce temps-là ? Ils avaient la Crimée, et Rommel en Afrique du Nord était reparti à l'attaque. Depuis Pâques, nous étions en seconde. Esch et Hotten Sonntag s'étaient portés volontaires, tous deux pour la Luftwaffe; mais par la suite, exactement comme moi qui hésitais, j'irai-t'y j'irai-t'y pas dans la Marine, ils se retrouvèrent dans les Panzergrenadiers, une sorte d'infanterie améliorée. Mahlke ne se porta pas volontaire, fit comme toujours une exception; il disait : « Vous êtes sonnés ! » Avec ça, il avait, étant d'un an notre aîné, les meilleures chances de quitter la boîte avant nous; mais quand on écrit il ne faut pas anticiper.

Je nageai encore plus lentement les deux derniers hectomètres, en brasse sans changer de nage, afin de rester mieux en souffle. Le Grand Mahlke était assis comme toujours à l'ombre de l'habitacle. Seuls ses genoux prenaient le soleil. Il avait déjà dû plonger une fois. Les restes gargouillants d'une Ouverture flottaient dans le vent contraire et me parvenaient avec une broutille de vagues. C'était un de ses trucs à effet : il plongeait dans son réduit, remontait la mécanique, mettait un disque, reparaissait, la raie au milieu, ruisselante, s'asseyait en tailleur à l'ombre et écoutait sa musique, tandis qu'au-dessus de la péniche les mouettes à grands cris attestaient leur foi en la migration des âmes.

Non, je ne veux pas, avant qu'il soit trop tard, me remettre encore une fois sur le dos et considérer de grands nuages en sacs de pommes de terre cheminant en ordre égal, venus de la baie de Putzig, par-dessus notre péniche, en direction du sud-est et fournissant une lumière changeante ainsi qu'une fraîcheur pour la durée d'un nuage. Plus jamais — ou bien seulement à cette exposition que le Père Alban monta montra avec mon aide dans notre Foyer Kolping « Des enfants de notre paroisse peignent l'été » — je ne vis nuages si beaux, si blancs, pareils à des sacs de pommes de terre. J'y reviens, avant que la rouille tordue de la péniche ne soit à portée de main : pourquoi moi ? Pourquoi pas Hotten Sonntag ou Schilling ? J'aurais bien pu envoyer les troisièmes à la péniche, ou bien Tulla en compagnie de Hotten Sonntag. Et aussi tous ensemble avec Tulla au milieu, surtout que les troisièmes, un surtout, qui devait être de la famille — car tout le monde l'appelait le cousin de Tulla — serraient de près cette petite garce. Mais je fis la traversée tout seul, laissant Schilling prendre garde que personne ne me suivît, et je ne me hâtai point.

Je, Pilenz — qu'est-ce que mon prénom fait à la chose ? — ci-devant enfant de chœur, voulais devenir je ne sais quoi, maintenant secrétaire du Foyer Kolping, je ne peux me déprendre de la magie, je lis Bloy, les Gnostiques, Böll, Friedrich Herr, et souvent, j'ai un choc en lisant les *Confessions* du bon vieil Augustin; je discute en buvant du thé noir, à longueur de nuit, le sang du Christ, la Trinité et le sacrement de grâce avec le P. Alban, franciscain ouvert, à demi-croyant; je lui parle de Mahlke et de la Vierge de Mahlke, de la gorge de Mahlke et de la tante à Mahlke, de la raie au milieu qu'avait Mahlke, d'eau sucrée, de phonographe, de hibou blanc, tournevis, pompons de laine, boutons phosphorescents, de chat et souris et de mea culpa; comme quoi le Grand Mahlke était assis sur la péniche, et moi, sans hâte, je nageais vers lui en brasse, en dos; car seul j'étais comme qui dirait son ami, si l'on pouvait être l'ami de Mahlke. En tout cas, je m'y efforçais. Même pas ! Je trottais spontanément à côté de lui et de ses attributs variables. Si Mahlke avait dit : « Fais ci ou ça ! » je l'aurais fait et encore davantage. Mais

Mahlke ne disait rien; il tolérait sans un mot sans un geste que je coure après lui, que j'aille le prendre dans l'Allée de l'Ouest bien que ce fût un détour, afin d'obtenir licence d'aller à l'école à son côté. Et quand il lança la mode des pompons, je fus le premier à m'aligner, à porter au cou des pompons. Un temps aussi, mais seulement à la maison, je portai un tournevis à un lacet. Et si je continuai à me faire bien voir de M. l'abbé Gusewski en servant la messe, bien que la foi et tous les principes fussent allés au diable depuis ma quatrième, c'était seulement pour loucher vers la gorge de Mahlke pendant la communion. C'est pourquoi, lorsque le Grand Mahlke, après les vacances de Pâques quarante-deux — on se battait à coups de porte-avions dans la Mer de Corail — se rasa pour la première fois, deux jours après je me grattais pareillement le menton, bien qu'il ne pût être question de barbe dans mon cas. Et si Mahlke, après le topo du capitaine de sous-marin, m'avait dit : « Pilenz, chipe-lui le truc à cordon! » j'aurais décroché le truc au ruban noir-blanc-rouge et l'aurais mis de côté à ton intention.

Mais Mahlke se chargeait de ses propres affaires; il était assis à croupetons sur la passerelle, à l'ombre, écoutant les restes écrabouillés de sa musique sous-marine : Cavalleria Rusticana — en haut, des mouettes — la mer d'huile, ou moirée, ou parcourue de vagues brèves — deux gros lourds sur la rade — palpitation des ombres de nuages — vedettes rapides en formation serrée, cap sur Putzig : six vagues de proue, par-ci par-là des cotres de pêche — déjà le glouglou du clapotis contre la péniche, j'approche lentement en brasse, regarde ailleurs ou à côté, entre des restes de manche à air — combien y en avait-il en fait ? — avant que mes mains ne s'agrippent, je te vois : le Grand Mahlke, depuis quinze ans, toi ! Je nage, saisis la rouille, je te vois : le Grand Mahlke, accroupi, immobile, à l'ombre, le disque sous-marin se répète et s'éprend de toujours la même spire, s'épuise; départ de mouettes; et tu as au cou l'objet à ruban noir-blanc-rouge.

Il était cocasse parce qu'à part le bidule il était tout nu. Accroupi en tailleur, nu, ossu, à l'ombre, avec son perpétuel coup de soleil. Seuls, les genoux rendaient la lumière solaire. Son long membre à demi en éveil et ses testicules sur la rouille. Le creux de ses genoux écrasait ses mains. Les cheveux en mèches devant les oreilles, mais toujours la raie au milieu, même au sortir de plonger. Le visage voulait dire : voici le Rédempteur — et là-dessous, pour tout vêtement, immobile, le gros, grand gros bonbon, un travers de main sous la clavicule.

Pour la première fois, une pomme d'Adam qui, comme je le suppose encore — et bien qu'il eût des moteurs de réserve — était le moteur et le frein de Mahlke, avait trouvé son exact contrepoids. Elle dormait, sa pomme d'Adam, paisible sous la peau, et devait pour un temps se résoudre à ne pas pistonner, car ce qui lui faisait du bien et s'équilibrait en croix avait une préhistoire : conçu dès l'an dix-huit cent treize, quand on donna de l'or pour du fer, par le vieux Schinkel comme un tire-l'œil au module classique; petites modifications en soixante-dix-et-onze, petites modifications quatorze à dix-huit et encore cette fois-ci. Mais n'avait rien à voir avec l'ancien ordre *Pour le Mérite,* issu de la Croix de Malte, bien que l'excrétion de Schinkel ait évolué pour la première fois de la poitrine au col et proclamé sa foi en la symétrie.

— Hein, Pilenz! Un chouette truc, s'pas?

— Énorme, fais voir que je touche.

— Honnêtement gagné... ou bien?

— Je m'étais bien dit tout de suite que tu avais fauché le truc.

— Fauché, non! M'a été conféré hier, parce que, dans le convoi de Mourmansk, j'ai torpillé cinq cargos et par-dessus le marché un croiseur de la classe Southampton...

Nous versâmes dans la niaiserie, voulûmes nous prouver une bonne humeur débridée; et de brailler toutes les strophes de la chanson « Contre l'Angleterre », d'inventer des strophes nouvelles qui, à en croire leur texte littéral, ne perforaient pas dans leurs œuvres vives des pétroliers et des transports de troupe, mais des filles et des profs bien définies du Lycée Gudrun; et de corner dans les airs des communiqués spéciaux avec chiffre de torpillage moitié obscènes, moitié emphatiques; de battre à poings et talons le pont de la passerelle : et la péniche grondait, cliquetait, sautait le guano sec, revenaient les mouettes, rentraient au port les vedettes; au-dessus de nous faisaient route de beaux nuages; à l'horizon, légère, comme une fumée; pas un poisson ne sautait, le temps restait favorable; certes, l'objet sautillait, mais pas à cause de la gorge, non, parce qu'il vivait de toute sa peau, que pour la première fois Mahlke était un peu bête; plus sa tête de Rédempteur; il s'emballait plutôt; il détacha l'objet de son cou, le plaça en le tenant par les bouts du ruban, avec des gestes précieux, à hauteur des iliaques et, tandis qu'en roulant des jambes, et des épaules, la tête de biais, il mimait en grotesque une fille, pas une fille déterminée, il fit brinqueballer la breloque de Fer devant ses testicules et son membre; mais la décoration couvrait difficilement un tiers de ses parties sexuelles.

Entre-temps — son numéro de cirque me portait lentement sur les nerfs — je lui demandai s'il avait l'intention de garder l'objet; je dis que le plus indiqué serait encore de planquer l'appareil dans son réduit sous la passerelle, entre hibou, phonographe et Pilsudski.

Le Grand Mahlke avait d'autres projets et les exécuta. Car si Mahlke avait garé l'objet sous le pont; ou mieux encore, si je n'avais pas été lié d'amitié avec Mahlke; ou encore mieux, les deux ensemble : l'objet à l'abri dans la cabine radio, et moi lié à Mahlke d'un lien lâche, par curiosité, parce que nous étions dans la même classe — alors je n'aurais pas le besoin d'écrire, besoin de dire au P. Alban : « Était-ce donc ma faute, si plus tard Mahlke... » — Mais j'écris, car il faut que ça s'en aille. Il est certes agréable d'exécuter des tours de force sur papier blanc — mais à quoi bon les blancs nuages, les zéphyrs, la rentrée ponctuelle de vedettes et un pulk de mouettes fonctionnant en chœur à la grecque; à quoi bon toute la sorcellerie à base de grammaire; et même si j'écrivais tout en petit et sans ponctuation, je devrais dire quand même : Mahlke ne cacha pas l'objet dans l'ancienne cabine radio du ci-devant dragueur de mines polonais *Rybitwa*, ne suspendit pas l'appareil entre le maréchal Pilsudski et la Madone noire, au-dessus du phonographe condamné et du hibou des neiges en voie de décomposition; il fit seulement, à brève échéance, une petite visite d'une demi-heure en bas avec son grelot au cou, histoire de se pavaner — ça, j'en suis sûr — devant sa Vierge avec sa décoration chic; il la remonta au jour par l'écoutille avant, rentra son service trois-pièces dans son caleçon de bain, puis nous revînmes d'un train égal jusqu'à l'établissement de bains où, la main fermée sur son morceau de Fer, il passa devant Schilling, devant Hotten Sonntag, devant Tulla Pokriefke, devant les bizuths de troisième, pour rejoindre sa cabine au bain des messieurs.

A demi, d'une lèvre négligente, j'instruisis Tulla et sa cour, disparus ensuite également dans ma cabine, m'habillai en hâte et cueillis Mahlke de justesse à l'arrêt de la ligne Neuf. Tant que le tramway roula, je tentai de le persuader de rendre, personnellement au lieutenant de vaisseau, puisqu'il le fallait, sa décoration, qu'il y aurait bien moyen de trouver son adresse.

Je crois qu'il n'écouta pas. Nous étions encaqués sur la plateforme arrière. Autour de nous, la cohue d'un dimanche en début d'après-midi. Entre les arrêts, il ouvrait sa main entre sa et ma chemise; et tous deux nous regardions à la verticale le sévère métal sombre au ruban humide encore, froissé. A la hauteur du château de Saspe, Mahlke, sans nouer le ruban, suspendit provisoirement la décoration devant son nœud de cravate et essaya de prendre pour miroir le vitrage de la plateforme. Aussi longtemps que le tramway resta à l'arrêt pour attendre la rame descendante, je dirigeai mon regard par-dessus l'une de ses oreilles, par-dessus le cimetière abandonné de Saspe; il longea des pins rabougris en direction de l'aérodrome et eut de la chance : un gros Junkers-52 trimoteur atterrissait avec toutes sortes de formalités et vint à mon secours.

De toute façon, le peuple dominical qui emplissait le tram n'aurait pas eu un œil libre pour les exhibitions du Grand Mahlke. Encombré de petits enfants, de peignoirs roulés en boudin, chargé de la fatigue des plages, il fallait au peuple se battre à grand bruit en franchissant des banquettes. Des pleurnichages et des geignements d'enfants, lancés, freinés, poussés, réprimés et tournant au sommeil couraient de la plateforme avant à la plateforme arrière et retour — et il y avait aussi des odeurs à faire tourner n'importe quel lait.

Nous descendîmes au Brunshöferweg, terminus, et Mahlke jeta par-dessus son épaule qu'il avait l'intention de troubler la sieste de M. le proviseur Klohse; il comptait y aller seul — il serait aberrant de l'attendre à la sortie.

Klohse habitait — c'était connu — dans l'avenue Baumbach. Par le tunnel de céramique sous le remblai du chemin de fer, je suivis puis laissai partir le Grand Mahlke; il n'était pas pressé, marchait plutôt en zigzag amendé à angles plats. A gauche, il tenait les extrémités du ruban entre le pouce et l'index, faisait tourbillonner la décoration et l'utilisait comme hélice motrice pour gagner l'avenue Baumbach.

Maudit projet et maudite exécution! Si seulement tu

avais balancé l'objet dans les tilleuls : il y avait, ma foi, dans ce quartier de villas tout ombragé d'arbres, suffisamment de pies pour adopter l'objet, le joindre à leur trésor clandestin, le ranger à côté de la cuiller à thé, de la bague et de la broche, dans leur bric-à-brac.

Le lundi, Mahlke fut absent. La classe échangeait des sourires discrets. Le professeur Brunies faisait classe d'allemand. Il s'était déjà remis à sucer des pastilles de Cebion qu'il aurait dû distribuer à des élèves. Le livre ouvert à Eichendorff. Englué de saccharine, son radotage sénile descendait en filaments de la chaire : quelques pages du *Propre-à-rien*, puis *La Roue du Moulin*, *La Petite Bague*, *Le Jongleur* — Passaient deux compagnons gaillards — Si tu préfères un chevreuil — Un air tiède coule à flots bleus — Un air sommeille en toutes choses — De Mahlke pas un mot.

C'est seulement le mardi que le proviseur Klohse vint avec un dossier gris, se plaça près du professeur Erdmann, lequel se frottait les mains avec embarras; et par-dessus nos têtes baissées Klohse lança, d'un souffle glacé : Quelque chose s'était produit, et cela en des heures grosses de destinée où tous devaient se sentir les coudes. L'intéressé — Klohse ne prononça pas de nom — avait été déjà éloigné de l'école. Mais on s'était abstenu d'informer d'autres instances, à savoir éventuellement la Direction de la Sous-région du Parti. Il était instamment demandé à tous les élèves d'observer un silence viril et de racheter ainsi pour le bien de l'école un comportement indigne. Tel était le vœu d'un ancien élève, le lieutenant de vaisseau, commandant de sous-marin et titulaire de... etc., etc.

Certes le Grand Mahlke fut renvoyé mais — pendant la guerre, c'est à peine si quelqu'un a été flanqué définitivement à la porte d'un lycée — replacé au lycée Horst-Wessel. Là-bas non plus, on n'alla pas crier son histoire sur les toits.

# IX

Le lycée Horst-Wessel s'appelait avant la guerre Lycée moderne Kronprinz-Wilhelm et répandait la même odeur poussiéreuse que notre établissement. Le bâtiment, construit je pense en dix-neuf-cent douze, n'avait qu'extérieurement un air plus aimable que notre boîte de brique; il était au sud du faubourg, au pied du bois de Jeschkental; en conséquence Mahlke, lorsqu'il allait à l'école, ne me croisa jamais quand j'allais à l'école, lorsque les classes reprirent à l'automne.

Mais il demeura disparu même pendant les grandes vacances — un été sans Mahlke — car on disait qu'il s'était inscrit à un camp de préparation militaire avec la possibilité de recevoir une pré-formation de radio-télégraphiste militaire. Il ne montra son coup de soleil ni à Brösen ni à Glettkau-plage. Puisque c'était pure folie de le chercher à la chapelle Sainte-Marie, M. l'abbé Gusewski, tant que durèrent les vacances, ne put plus compter sur un des plus sérieux de ses enfants de chœur; l'enfant de chœur Pilenz se disait : pas de messe sans Mahlke.

Nous autres, le reste, il nous arrivait cependant, de temps à autre, de séjourner accroupis sur la péniche, mais le cœur n'y était plus. Hotten Sonntag chercha en vain l'accès de la cabine-radio. Les troisièmes chuchotèrent des rumeurs sans cesse renouvelées au sujet d'un réduit bizarre et formidablement aménagé qui se trouvait sous les superstructures de la passerelle. Un grand pendard aux yeux rapprochés que les gamins appelaient Störtebeker plongeait inlassablement. Le cousin de Tulla Pokriefke, un crabe plutôt chétif, fut une ou deux fois sur la péniche, mais sans jamais plonger. Ni en pensées, ni effectivement je ne tentai d'amorcer avec lui une conversation roulant sur Tulla : elle me tenait à l'âme. Mais, comme moi, elle avait contaminé le cousin par sa laine feutrée et son odeur indissoluble de colle d'ébéniste. « Qu'est-ce que ça peut bien vous foutre ? » me dit le cousin — ou du moins il aurait pu me le dire.

Tulla fut absente de la péniche, resta à l'établissement de bains, mais elle avait rompu avec Hotten Sonntag. Certes j'allai deux fois au cinéma avec elle; mais je n'avais pas de chance : le cinéma, elle y allait avec tout le monde. On disait qu'elle s'était toquée de ce Störtebeker, ô amour malheureux, car au début le Störtebeker ne montra d'inclination que pour notre péniche et ne fit que chercher l'accès du réduit de Mahlke. Vers la fin des grandes vacances, il se fit maints murmures relatifs aux résultats prétendus de ses plongées. Les preuves manquaient : il ne remonta ni un disque gondolé ni une plume moisie de hibou blanc. Cependant les rumeurs étaient vivaces, et deux ans et demi après, quand fut démasquée cette assez mystérieuse bande de jeunes dont Störtebeker passait pour le chef, il aurait été question à nouveau, pendant le procès, de notre péniche et de la cachette sous la passerelle. Mais en ce temps-là je faisais déjà une-deux-une-deux, je n'eus que des bribes de l'histoire, et encore parce que M. l'abbé Gusewski m'écrivit jusqu'à la fin des lettres de direction spirituelle allant jusqu'à l'amitié. Et dans une des dernières lettres de janvier quarante-cinq — quand les armées russes poussèrent jusqu'à Elbing — il y avait quelques mots d'une scandaleuse agression que la bande dite des Tanneurs avait perpétrée sur l'église du Sacré-Cœur où officiait M. l'abbé Wiehnke. Le gars Störtebeker était mentionné dans la lettre sous son nom de famille; je crois aussi avoir lu que la bande honorait comme talisman, comme mascotte, un enfant de trois ans. Quelquefois je suis sûr, d'autres fois je doute : est-ce que dans sa dernière ou avant-dernière lettre — le paquet s'égara, le journal intime aussi, avec ma musette, dans le secteur de Cottbus — Gusewski nommait aussi cette péniche qui célébra son grand jour avant le début des vacances d'été quarante-deux, mais perdit de son éclat pendant les vacances; car aujourd'hui encore je trouve à cet été un goût banal, parce que Mahlke manquait. — Pas d'été sans Mahlke!

Non que nous fussions désespérés de son absence. Moi surtout j'étais bien content d'être débarrassé de lui, de n'avoir plus à marcher derrière; mais pourquoi, juste après la rentrée des classes, allai-je trouver M. l'abbé Gusewski pour m'offrir comme enfant de chœur ? Derrière son pince-nez, M. l'abbé par mille rides marqua son allégresse et, derrière le même pince-nez, afficha un souci non ridé quand, tandis que je brossais sa soutane — nous étions à la sacristie — mine de rien, je m'informai de Joachim Mahlke. Calmement, une main au pince-nez, il détailla : « Certes, comme auparavant il est un pratiquant des plus zélés, il ne manque à aucun office dominical; il a été, du reste, quatre semaines dans un de ces camps de formation militaire; je ne veux cependant pas croire que c'est seulement à cause de Mahlke que vous voulez à nouveau servir devant l'autel. Expliquez-vous, Pilenz! »

Deux courtes semaines auparavant était arrivée chez nous la nouvelle que mon frère Klaus avait été tué comme sous-officier sur le Kouban. J'invoquai sa mort comme motif de reprendre du service devant l'autel. M. l'abbé Gusewski parut me croire ou bien se donna la peine d'accorder créance à ma piété revalorisée.

Aussi peu je me rappelle les détails composant le visage de Hotten Sonntag ou de Winter, Gusewski avait des cheveux épais, raides, noir frisé, gris glacé par place, sur un cuir chevelu pelliculeux qui marquait sa soutane. Sa tonsure rasée avec soin teintait de bleuâtre son occiput. La lotion de bouleau et le savon Palmolive déterminaient son odeur. Parfois il fumait du tabac d'Orient à l'aide d'un fume-cigarettes poli d'ambre compliqué. Il se donnait pour progressiste et jouait au ping-pong dans la sacristie avec les enfants de chœur, ainsi qu'avec les premiers communiants. Il faisait amidonner à l'excès tout le linge, le voile huméral et l'aube par une dame Tolkmit ou bien, quand la vieille était malade, par des enfants de chœur adroits, souvent par moi. Chaque manipule, chaque étole, tous les vêtements de messe, qu'ils fussent rangés ou pendus dans les placards, étaient de sa propre main alourdis de sachets de lavande. Un jour que j'avais environ treize ans, il me passa une petite main glabre sous ma chemise en descendant de la nuque jusqu'au cordon de la culotte de gym, puis ramena sa main, parce que la culotte de gym n'avait pas un caoutchouc extensible et que je la fixais en nouant par devant un lacet à coulisse. Je ne fis pas grand état de cette tentative, surtout que M. l'abbé Gusewski, par ses manières amicales, souvent gamines, possédait ma sympathie. Le souvenir que j'ai de lui se colore encore aujourd'hui de bienveillance railleuse; pour ce motif, pas un mot de plus pour des attouchements occasionnels, anodins, qui au fond ne cherchaient que mon âme catholique. En gros, c'était un prêtre comme cent autres; il entrenait une bibliothèque bien choisie pour les rares lecteurs de sa communauté ouvrière, n'était pas d'un zèle excessif, croyant avec restrictions — par exemple dans l'affaire Assomption de la Vierge — et prononçait chaque mot, qu'il le lançât par-dessus le corporal en parlant du Saint-Sang, ou bien qu'il parlât de ping-pong dans la sacristie, du même ton de sérénité onctueuse. Ce que je trouvais d'idiot chez lui, ce fut cette demande qu'il présenta dès le début de 40 en vue de modifier son nom; une petite année plus tard, il se nomma et se fit nommer Gusewing, M. l'abbé Gusewing. Mais la mode de germaniser les noms à consonance polonaise, en ki, en ke ou en a — comme Formella — fut alors très suivie : Lewandowski devint Lengnisch; M. Olczewski, notre boucher, se révéla être le maître-boucher Ohlwein; les parents de Jürgen Kupka voulurent s'appeler Kupkat à la prussienne — mais la requête, je ne sais pourquoi, fut refusée. Peut-être que, suivant le modèle de Saül qui devint Paul, un certain Gusewski voulut devenir Gusewing — mais sur ce papier M. l'abbé Gusewski n'en continuera pas moins à s'appeler Gusewski; car toi, Joachim Mahlke, tu n'as pas fait modifier ton nom.

Lorsqu'après les grandes vacances d'été je servis pour la première fois devant l'autel à la messe matinale, je le vis à nouveau et à neuf. Dès après les prières au pied de l'autel — Gusewski était du côté de l'épître, occupé de l'Introït — je le découvris au deuxième banc devant l'autel de Marie. C'est seulement entre la lecture de l'épître et le graduel, puis à satiété pendant la lecture de l'évangile du jour, que je trouvai le temps de contrôler son aspect. Bien que ses cheveux eussent conservé leur raie au milieu et leur habituel vernis d'eau sucrée, il les portait encore plus longs d'une épaisseur de boîte d'allumettes. Raides et candis, ils tombaient en deux toits par-dessus les deux oreilles : il aurait pu jouer Jésus, joignait les mains en l'air, donc sans appuyer les coudes, à hauteur du front, et sous l'auvent de ses mains il dégageait la vue d'un cou nu et sans défense qui révélait tout; car son col de chemise retombait ouvert sur son col de veste : pas de cravate, pas de pompons, pas de pendentif, de tournevis ou d'autre pièce tirée de son riche arsenal. L'unique bête héraldique sur champ libre était cette souris agitée qui logeait sous sa peau en guise de larynx, qui avait jadis attiré le chat et m'avait induit à lui mettre le chat au cou.

De plus, sur le parcours entre la pomme d'Adam et le menton, se voyaient encore quelques traces savonneuses de rasoir. Au *Sanctus*, je faillis arriver trop tard avec ma sonnette.

Au banc de communion, Mahlke affecta moins d'affectation. Il laissa les mains jointes s'abaisser jusque sous les clavicules et sentait de la bouche comme si constamment une marmite de choux cabus cuisait à petit feu dans ses intérieurs. A peine avait-il reçu l'hostie que je fus frappé d'une nouvelle invention risquée; jusqu'à présent Mahlke, comme tout communiant, avait couvert sans détour l'itinéraire le ramenant en silence à son banc, le deuxième, depuis le banc de communion; cette fois il l'allongea, l'interrompit : d'abord, d'un pas lent et raide, il chercha le milieu de l'autel de Marie, puis tomba à genoux, et non pas sur le linoléum, car il prit pour base un tapis à poils rudes qui commençait peu avant les degrés de l'autel. Il éleva ses mains jointes à hauteur des yeux, du sinciput, plus haut encore et presque avidement vers cette figure de plâtre plus grande que nature qui, sans enfant, comme Vierge des Vierges, était debout sur un croissant de lune, laissant tomber des épaules aux chevilles un manteau bleu de Prusse semé d'étoiles, joignait devant sa poitrine des mains aux doigts longs et braquait vers le plafond de l'ancienne salle de gym des yeux de verre rapportés, légèrement saillants. Quand Mahlke se releva, un genou après l'autre, et rassembla ses pinces à nouveau devant son col Danton, le tapis avait marqué à ses rotules son motif grossier d'un rouge vif.

Même M. l'abbé Gusewski avait été frappé de quelques

détails du Mahlke nouvelle mode. Cela ne veut pas dire que je posai des questions. De lui-même, comme gêné, pressé de rejeter ou de partager un fardeau, il se mit aussitôt après la messe à parler du zèle indiscret de Mahlke, de pratiques extérieures dangereuses et du souci qui l'emplissait depuis longtemps. Le culte marial de Mahlke, dit-il, confinait à l'idolâtrie païenne, quel que pût être le besoin intérieur qui le conduisait devant l'autel.

Il m'attendait devant la porte de la sacristie. L'effroi faillit me refouler à l'intérieur, mais déjà il prenait mon bras, riait avec une aisance nouveau style, causait, causait, causait. Lui, le laconique, parla du temps qu'il faisait — été de la Saint-Martin, fils d'or dans l'air — et enchaîna directement sans baisser la voix, sur le même ton de barvardage : « Je me suis porté volontaire. J'en hoche la tête moi-même. Tu sais combien peu ça compte pour moi : militarisme, Kriegsspiel et cette survalorisation du soldat. Devine voir dans quelle arme. T'as pas idée. La Luftwaffe, il y a longtemps que ça ne vaut plus le coup. Laisse-moi rire : parachutiste! Eh bien je te dirai seulement : je veux aller dans les sous-marins. Là donc, enfin! C'est la seule arme qui offre encore des chances; quoique je me trouverai l'air idiot dans un machin pareil; j'aimerais beaucoup mieux faire quelque chose de rationnel ou quelque chose de marrant. Tu sais, je voulais devenir clown. On en a des idées quand on est gamin. Remarque! avec ça aujourd'hui encore je trouve la profession tout à fait passable. Sinon ça va. La consigne est de ronfler. Qu'est-ce qu'on a pu faire avant comme âneries. Tu te rappelles? Je ne pouvais pas m'habituer à ce truc-là.

Je me disais, c'est une sorte de maladie, et pourtant c'est parfaitement normal. Je connais des gens ou bien j'en ai vu qui en ont d'encore plus gros et qui ne s'en font pas une montagne. Ça a commencé avec l'histoire du chat. Je ne sais pas si tu te rappelles, nous étions sur le terrain Heinrich-Ehlers. Probablement un tournoi de thèque en train. Je dormais ou je somnolais et la bête grise, ou peut-être noire, a vu mon cou et a sauté dessus, ou bien l'un d'entre vous, Schilling je crois, il en serait capable, prit le chat... Eh bien, passons l'éponge. Non, je n'ai plus été sur la péniche. Störtebeker ? J'en ai entendu parler. Paraîtrait que. Je n'ai pas loué la péniche, hein ? Passe un jour chez nous. »

Ce fut seulement au troisième dimanche de l'Avent, et après que Mahlke eut fait de moi tout l'automne le plus zélé des enfants de chœur, que je me rendis à son invitation. Je dus servir la messe tout seul jusqu'à l'Avent, parce que M. l'abbé Gusewski ne pouvait pas dénicher d'autre enfant de chœur. Au fait, je voulais aller voir Mahlke dès le premier dimanche et lui apporter le cierge, mais l'attribution eut lieu trop tard, et Mahlke ne put mettre son cierge bénit devant l'autel de Marie que pour le deuxième dimanche. Quand il me demanda : « Peux-tu en trouver ? Gusewski ne veut pas en débloquer », je dis : « C'est à voir. » Et je lui procurai un de ces rares, longs cierges du temps de guerre, blêmes comme des germes de pommes de terre; car notre famille avait droit, vu que mon frère était mort au champ d'honneur, à cet article rationné. Et j'allai à pied à l'Office du Rationnement, reçus contre production du certificat de décès le bon de fourniture, me rendis en tramway au magasin spécialisé d'Oliva, ne trouvai pas de cierges en réserve, fis encore deux fois la démarche et pus te le livrer et te voir seulement au deuxième dimanche t'agenouiller avec le cierge devant l'autel de Marie comme je l'avais imaginé et désiré. Tandis que Gusewski et moi portions l'étoffe violette du temps de l'Avent, ton cou s'érigeait hors du col à la Schiller que ne pouvait recouvrir le manteau retourné et retaillé du conducteur de locomotive mort en l'an X, d'autant que — autre innovation — tu n'avais pas noué à ton cou le cache-nez avec une grande épingle de sûreté.

Et Mahlke s'agenouilla au deuxième comme au troisième dimanche — j'avais l'intention de le prendre au mot dans l'après-midi et de lui rendre visite — long et raide sur le tapis grossier. Son regard vitreux, qui ne voulait pas ciller — ou bien il clignait des yeux dès que j'avais à faire à l'autel — passait par-dessus le cierge et visait le ventre de la Mère de Dieu. De ses deux mains il avait, sans toucher son front de ses pouces croisés, dressé un toit à forte pente devant ses pensées.

Et je songeai : j'irai aujourd'hui. J'y vais et je le regarde. Je le regarde une bonne fois. Une bonne fois comme il faut. Il doit y avoir quelque chose derrière. En outre il m'a invité.

L'Allée de l'Est était bien courte : les pavillons d'un logement avec leurs espaliers vides le long de façades crépies grossièrement, la plantation régulière des trottoirs — les tilleuls avaient perdu leurs pieux en moins d'un an, mais avaient encore besoin de tuteurs — me découragèrent et me fatiguèrent, bien que notre Allée de l'Ouest fût taillée sur le même patron, ou bien parce que notre Allée de l'Ouest avait une odeur identique, respirait pareillement et traversait de même les saisons avec ses jardins lilliputiens devant les façades. Aujourd'hui encore, lorsque je quitte le Foyer Kolping, ce qui arrive rarement, rends visite à des connaissances ou des amis à Stockum ou Lohhausen, entre l'aérodrome et le Cimetière Nord, et suis contraint de traverser des cités qui se rabâchent, semblablement fatigantes et décourageantes, de numéro à numéro, de tilleul en tilleul, je suis toujours en train d'aller chez la mère de Mahlke et chez la tante à Mahlke, chez toi, chez le Grand Mahlke : et la sonnette est collée à un portail de jardin qu'on pourrait enjamber d'un pas haut, sans avoir même besoin de faire effort. Des pas à travers le jardin de devant, hivernal et sans neige, aux rosiers empaquetés de pansements. Parterres ornementaux sans plantes, revêtus, en guise d'ornement, de coquilles baltiques intactes ou écrasées. La rainette céramique, de la taille d'un lapin accroupi, sur une plaque de marbre de carrière dont la terre à jardin bêchée cerne les bords, les recouvrant, par places, de miettes et de croûtes. Et dans le parterre, de l'autre côté de l'étroite allée qui me transporte, tandis que je pense, quelques pas de la porte du jardin aux trois marches de brique vernissée menant à la porte romane barbouillée d'ocre, au même niveau que la rainette, une perche presque verticale, à hauteur d'homme, porte un nichoir à oiseaux style chalet : des moineaux qui restent à leur mangeoire, tandis que je fais sept ou huit pas entre parterre et parterre; on croirait que la cité répand une odeur fraîche, propre, de sable, conformément à la saison — mais dans l'Allée de l'Est, dans l'Allée de l'Ouest, dans le Chemin des Ours, non, partout à Langfuhr, Prusse-Occidentale; mieux encore, toute l'Allemagne en ces années de guerre sentait l'oignon, l'oignon cuit à petit feu dans la margarine, je ne veux pas m'arrêter : l'oignon bouilli avec, l'oignon frais coupé, voilà ce que ça sentait, bien que les oignons fussent rares et presque introuvables, bien qu'on fît des bons mots sur les oignons rares en connexion avec le maréchal du Reich Gœring qui avait dit quelque chose à la radio sur la rareté des oignons, des bons mots que l'on colportait à Langfuhr, Prusse-Occidentale, dans toute l'Allemagne; c'est pourquoi je devrais frotter superficiellement de jus d'oignon ma machine à écrire et lui donner ainsi qu'à moi une idée de cette odeur d'oignons qui, en ces années-là, empestait toute l'Allemagne, la Prusse occidentale, Langfuhr, l'Allée de l'Est comme l'Allée de l'Ouest, et masquait l'odeur prédominante de cadavre.

Je pris d'un seul pas les trois degrés de brique, j'allais saisir la poignée de la porte dans ma main formée exprès, quand la porte fut ouverte de l'intérieur : Mahlke en col ouvert et pantoufles de feutre. Il devait avoir rajusté peu de temps auparavant sa raie au milieu. Rigides et rayés par les dents du peigne, les cheveux mi-clairs mi-foncés s'éloignaient de la raie obliquement en descendant vers l'arrière, étaient encore en place; mais quand je partis une heure plus tard, ils tombaient déjà et tremblaient, dès qu'il parlait, au-dessus de ses grandes oreilles bien irriguées.

Nous étions assis sur le derrière de la maison, dans la salle de séjour qui recevait sa lumière de la véranda vitrée construite en avancée. Il y avait du gâteau selon je ne sais quelle recette de guerre : du gâteau aux pommes de terre, car un goût d'eau de rose s'y mettait en évidence et voulait rappeler le massepain. Là-dessus des prunes en bocal qui avaient un goût normal et avaient mûri en automne dans le jardin de Mahlke — on pouvait en voir l'arbre sans feuilles, le tronc badigeonné de blanc, dans le rectangle vitré gauche de la véranda. On m'offrit la chaise — mon regard allait au-dehors, je faisais face à Mahlke, lequel avait à dos la véranda, devant un des petits côtés de la table. A ma gauche, dans une lumière latérale qui frisottait d'argent des cheveux gris, la tante à Mahlke; à droite, le côté droit très éclairé, mais moins auréolée parce qu'elle était plus strictement peignée, la mère de Mahlke. De même, un jour froid d'hiver, bien que la pièce fût surchauffée, soulignait les bords de ses oreilles et le duvet qu'elles portaient sur les bords, ainsi que les pointes vitrifiées tremblantes de ses mèches de cheveux. La partie supérieure du col ouvert montrait un jour plus que blanc qui, par en bas, tournait au gris; le cou de Mahlke était sans relief dans l'ombre.

Les deux femmes aux os massifs, nées, grandies à la

campagne et embarrassées de leurs mains, parlaient beaucoup, jamais en même temps, mais toujours en direction de Joachim Mahlke, même quand elles m'adressaient la parole et s'informaient de la santé de ma mère. Toutes deux m'exprimaient leurs condoléances; lui servait d'interprète : « Alors maintenant notre frère Klaus y est resté. Je ne le connaissais que de vue — mais quand même, un garçon aussi en train. »

Le gouvernement de Mahlke était doux et ferme. Les questions par trop personnelles — ma mère, tandis que mon père envoyait des cartes de Grèce par la poste aux armées, entretenait des relations intimes de préférence avec des gradés des forces armées — les questions donc qui se tournaient dans cette direction, Mahlke les interceptait : « Laisse donc, Tante. En ces temps où tout déraille plus ou moins, qui voudrait jouer le juge ? De plus, ça ne te regarde pas, Maman. Si Papa vivait encore, cela lui serait pénible et tu ne pourrais parler ainsi. »

Les deux femmes lui obéissaient, ou à ce défunt conducteur de locomotive qu'il conjurait sans insistance et priait d'imposer le silence dès que la tante ou la mère se mettaient à cancaner. De même les conversations roulant sur la situation au front — toutes deux confondaient les deux théâtres d'opérations de Russie et d'Afrique du Nord, disaient El Alamein quand elles avaient en tête la Mer d'Azov. Mahlke, par des rappels à l'ordre tranquilles, toujours exempts de mauvaise humeur, savait les ramener dans les justes voies de la géographie : « Non, Tante, cette bataille navale a eu lieu près de Guadalcanal et non en Carélie. »

Cependant la tante avait prononcé le maître-mot, et nous nous perdîmes en suppositions relatives à tous les porte-avions engagés, coulés s'il y a lieu, tant japonais qu'américains. Mahlke était d'avis que les porte-avions *Hornet* et *Wasp*, mis en chantier en trente-neuf seulement, des unités semblables au porte-avions *Ranger*, avaient été entre-temps mis en service et présentés à l'engagement, car ou bien le *Saratoga*, ou bien le *Lexington*, peut-être les deux, pouvaient être considérés comme rayés des catalogues. Une obscurité encore plus épaisse enveloppait les deux plus grands porte-avions japonais, l'*Akagi* et le *Kaga*, ce dernier nettement trop lent. Mahlke avança des opinions aventurées, dit qu'à l'avenir il n'y aurait plus que des batailles de porte-avions, qu'il était désormais à peine rentable de construire des navires de bataille, que l'avenir, pour le cas où jamais il y aurait une nouvelle guerre, appartenait aux unités légères rapides et aux porte-avions. Et il apporta des détails : les deux femmes marquèrent leur étonnement et la tante à Mahlke, aussitôt que Mahlke eut dévidé les noms des Esploratori italiens, applaudit à grand bruit et avec effet de profondeur, de ses mains ossues; elle prit un petit air de gamine enthousiaste et, quand la chambre après les applaudissements retrouva le silence, porta des doigts embarrassés à ses cheveux.

Du Lycée Horst-Wessel, pas un mot. Pour un peu je croirais me rappeler qu'en se levant Mahlke mentionna, non sans rire, ce qu'il appelait ces histoires de cou et qui ne dataient pas d'hier; il exposa aussi — et la mère et la tante rirent avec lui — le conte du chat; cette fois, ce fut Jürgen Kupka qui lui mit le bestiau à la gorge; si je savais seulement qui a inventé l'histoire, lui ou bien moi, ou bien celui qui écrit ceci ?

En tout cas — et cela est sûr — sa mère m'enveloppa deux petits bouts de gâteau à la pomme de terre dans un papier d'emballage quand je fus sur le point de prendre congé des deux femmes.

Dans le couloir, à côté de l'escalier conduisant à l'étage supérieur et à sa mansarde, Mahlke m'expliqua une photo qui était suspendue près du sac à chaussures. La locomotive d'allure assez moderne, avec tender, des ci-devant chemins de fer polonais — on distinguait deux fois nettement le sigle P K P — remplissait le format transverse. Devant la machine, bras croisés, minuscules et cependant dominateurs, deux hommes. Le Grand Mahlke dit : « Mon père et le chauffeur Labuda, peu avant leur accident de trente-quatre près de Dirschau. C'est-à-dire, mon père put éviter le pire et reçut une médaille posthume. »

# X

Au début de l'année nouvelle, je pensai prendre des leçons de violon — mon frère décédé avait laissé un instrument — mais nous fûmes promus auxiliaires de la Luftwaffe, et aujourd'hui sans doute il est trop tard, bien que le P. Alban ne cesse de me conseiller de prendre des leçons de violon; de même que ce fut lui qui m'encouragea à raconter l'histoire du chat et de la souris : « Asseyez-vous comme ça, mon cher Pilenz, et écrivez comme ça vous vient. Vous disposez, pour kafkaiens qu'aient paru vos premiers essais poétiques et vos nouvelles, d'une plume personnelle : prenez le violon ou libérez-vous par l'écriture — ce n'est pas sans réflexion que le Seigneur vous a pourvu de talents. »

Donc : Nous fûmes affectés à la batterie de la Plage, en même temps batterie d'instruction, à Brösen-Glettkau, derrière les dunes, l'élyme des sables flottant au vent et la promenade de gravier, dans des baraques sentant le goudron, les chaussettes et les matelas de varech. On pourrait en rédiger des pages sur la vie quotidienne d'un auxiliaire de la Luftwaffe, lycéen en uniforme qui, le matin, était instruit selon la méthode habituelle par des maîtres chenus et qui, l'après-midi, devait apprendre par cœur les commandements de service d'un canonnier ainsi que les secrets de la balistique; mais il ne s'agit pas ici de débobiner mon histoire, la geste naïvement herculéenne de Hotten Sonntag ou celle, absolument banale, de Schilling; il ne sera ici question que de toi; et Joachim Mahlke ne devint jamais auxiliaire de la Luftwaffe.

Des élèves du lycée Horst-Wessel qui étaient aussi à l'instruction, à la batterie de la Plage de Brösen-Glettkau, accessoirement, et sans qu'il fallût engager un long dialogue remontant au chat et à la souris, nous fournirent des éléments neufs : « Peu avant Noël, ils l'ont convoqué au Service du Travail. Lui ont collé d'office le bachot d'urgence. Na. Les examens n'ont jamais été pour lui un problème. Était pas mal plus âgé que nous. Paraît que sa section serait dans la lande de Tuchel. S'ils doivent tirer de la tourbe ? Paraît qu'il se passe un tas de choses là-bas. Zone de partisans et cætera. »

En février j'allai voir Esch à l'hôpital d'aviation d'Oliva. Il était cloué par une fracture de la clavicule et voulait avoir des cigarettes. Je lui en donnai, et il m'offrit d'une liqueur gluante. En regagnant l'arrêt du tramway de Glettkau, je fis un détour par le parc du château. Je voulais voir si la bonne vieille grotte des Confidences était encore là. Elle y était encore, et des chasseurs alpins convalescents l'essayaient en compagnie d'infirmières. Ils parlaient à voix basse, de chaque côté, contre la pierre poreuse, rigolaient chuchotaient rigolaient. Je n'avais personne avec qui chuchoter et, roulant dans ma tête je ne sais quoi, je m'engageai en ligne droite dans une allée en forme de tunnel, masquée en haut par un lacis serré de branches nues, sans oiseaux, peut-être bordée d'arbustes épineux qui allait, rectiligne, de l'étang du château à la Chaussée de Zoppot, et se rétrécissait de façon angoissante. Alors, après deux infirmières menant un sous-lieutenant claudicant hilare claudicant, après deux grand-mères et un gamin de trois ans peut-être qui ne voulait pas aller avec les grand-mères, mais portait un tambour d'enfant silencieux, voici encore que par le tunnel d'épines, dans la grisaille de février, quelque chose arrivait en face et grandissait : je rencontrai Mahlke.

La rencontre nous mit tous deux dans l'embarras. Au surplus, le fait de courir l'un au-devant de l'autre, dans une allée de parc impénétrable même du côté ciel et sans diverticules, nous inspirait un sentiment évoluant de la solennité à l'angoisse : le destin, ou bien la fantaisie rococo d'un architecte de jardins à la française nous réunissait — aujourd'hui encore, j'évite les parcs de château tracés en labyrinthe par un disciple du bon vieux Le Nôtre.

Certes nous parlâmes d'emblée, mais je dus rester bouche bée devant sa nouvelle coiffure; car le chapeau du Service de Travail était, même porté par d'autres que Mahlke, un comble de laideur : haut et disproportionné, il s'élevait en cloche au-dessus de la visière, était abreuvé d'une couleur d'excréments en voie de dessication; certes il était enfoncé en son milieu comme un chapeau d'homme, sauf que les deux bosses étaient rapprochées, formaient une raie et présentaient ce sillon plastique qui avait valu au couvre-chef du Service National de Travail le surnom de « cul à manche ». Le chef de Mahlke, couvert de ce chapeau, était pénible à voir. Car la raie au milieu, même s'il avait été contraint d'y renoncer au Service de Travail, éprouvait là une résurrection grandiose; et nous nous faisions face, entre et sous les épines, dans nos peaux trop courtes — le môme revint sans grand-mères, mais cette fois il battait son tambour d'enfant, fit autour de nous un demi-cercle magique et disparut enfin avec bruit par l'allée qui se rétrécissait.

Nous prîmes congé précipitamment, après que Mahlke eut répondu à peine et d'un ton renfrogné, à mes questions sur d'éventuels combats avec les partisans dans la région des Landes de Tuchel, des questions sur la nourriture au Service de Travail, la question de savoir si des filles du Service de Travail étaient stationnées dans leur voisinage. Je voulais aussi savoir ce qu'il avait à faire à Oliva, et s'il avait déjà vu M. l'abbé Gusewski. J'appris que du Service de Travail la nourriture était acceptable, mais qu'il n'y avait pas trace de filles. Il tenait pour exagérées les rumeurs de combats avec les partisans, bien que ce ne fût pas pure imagination. Son chef de chantier l'avait envoyé chercher je ne sais quelles pièces de rechange : voyage de service, deux jours. « Gusewski, je lui ai dit deux mots ce matin, tout de suite après la première messe. » Puis, de la main, un geste de mauvaise humeur : « Il ne changera pas, advienne que voudra ! » et l'écart entre nous grandit, parce que nous marchions.

Non, je ne me suis pas retourné vers lui. Incroyable ? Mais une phrase de rien comme celle-ci : « Mahlke ne se retourna pas pour me voir » ne soulèvera aucun doute. Plusieurs fois en effet je dus regarder derrière moi, parce que personne, même pas le môme au tambour, ne vint au devant de moi pour me secourir.

Puis, si je recompte, je fus plus d'un an sans te voir; mais ne pas te voir ne signifiait et ne signifie pas t'oublier, pouvoir oublier ta symétrie forcée. Mieux, il restait des traces : si je voyais un chat, gris, noir ou tigré, aussitôt la souris passait dans mon champ de vision; cependant je persistais dans mon hésitation, me demandant s'il fallait protéger la petite souris ou bien exciter le chat à la prendre.

Jusqu'à l'été, nous prîmes quartier à la batterie de la Plage, disputant d'infinis tournois de handball, nous roulant, les dimanches de visite, plus ou moins habilement avec toujours les mêmes filles et sœurs de filles dans les chardons des dunes; seul je restai bredouille et je n'ai pas désappris jusqu'à ce jour ma timidité et l'ironie qu'elle m'inspire. Qu'y avait-il encore ? Attributions de drops à la menthe poivrée, conférences sur les maladies vénériennes, le matin *Hermann et Dorothée*, l'après-midi le fusil 98 K, le courrier, la marmelade aux quatre fruits, concours de chant — aux heures libres nous gagnions aussi notre péniche à la nage; nous y trouvions régulièrement des meutes d'adolescents, les troisièmes; on s'ennuyait et, au retour, nous ne pouvions comprendre ce qui nous avait trois étés de suite enchaînés à ce débris encroûté de guano. Plus tard, nous fûmes mutés à la batterie de 88 de Pelonken, puis à celle de Zigankenberg.

Trois ou quatre fois, il y eut alerte, et notre batterie prit part à la destruction d'un quadrimoteur. Pendant des semaines, les bureaux se disputèrent ce coup de hasard. Entre temps, drops, *Hermann et Dorothée*, bonjour en passant.

Hotten Sonntag et Esch, étant volontaires pour la durée de la guerre, furent appelés au Service de Travail avant moi. Hésitant comme toujours et peu fixé sur le choix d'une arme, j'avais passé la date-limite et, avec une bonne moitié de notre classe, en février quarante-quatre, je subis dans une baraque d'instruction un bachot de temps de paix presque régulier, reçus promptement ma convocation au Service de Travail, fus congédié des auxiliaires de la Luftwaffe et, puisque j'avais devant moi une bonne quinzaine encore, histoire de trouver une conclusion autre que le bachot, je tentai de me placer avec qui, sinon avec Tulla Pokriefke, qui avait à peu près seize ans ou davantage et qui tâtait de n'importe qui, mais je n'eus pas de chance et je ne vins pas davantage à bout de la sœur de Hotten Sonntag. Dans cette situation — où quelque soulagement m'était apporté par les lettres d'une de mes cousines qu'on avait avec toute sa famille évacuée en Silésie pour cause de sinistre total par bombardement — je rendis à M. l'abbé Gusewski une visite d'adieu, lui promis de servir à l'occasion comme enfant de chœur lorsque j'aurais des permissions, reçus outre un missel neuf un crucifix de métal portatif — fabrication spéciale pour conscrits catholiques — et, sur le chemin du retour, au coin de l'Allée de l'Est et du Chemin des Ours, je rencontrai la tante de Mahlke : dans la rue, elle portait de grosses lunettes à culs de bouteille; pas moyen d'en faire le tour.

Avant même d'échanger un bonjour, elle se mit à parler avec une abondance rustique. Si des passants s'approchaient, elle saisissait mon épaule et tirait une de mes oreilles devant sa bouche. Phrases chaudes avec précipitations humides. D'abord du vent. Histoires d'achats. « On peut même pas avoir ce qu'on a droit sur ses cartes. » Ainsi j'appris qu'il y avait encore rupture de stocks pour les oignons, mais que chez Matzerath on pouvait avoir de la cassonnade et de l'orge mondé, et que le boucher Ohlwein attendait de la viande en conserve. « Pur porc. » Enfin, sans que j'aie placé un mot décisif, elle embraya sur le sujet véritable : « Le gamin va mieux, bien qu'il n'en dise pas un mot. Mais jamais il ne s'est plaint, tout comme son père qu'est mon beau-frère. Et ils l'ont engagé tout de même, dans les blindés. Il sera toujours plus à l'abri que dans l'infanterie, même quand il pleut. »

Puis son chuchotement s'insinua dans mon oreille, et je fus informé des nouvelles singularités de Mahlke : il gribouillait, comme un gamin de la communale, sous la signature de chaque lettre de la Poste aux Armées. « Et avec ça quand il était petit il dessinait pas, seulement à l'école quand c'est qu'il a fallu, avec de la gouache. Mais tiens j'ai ici sa lettre de l'autre jour, l'est déjà si froissée. Vous savez, M'sieu Pilenz, y sont tellement à vouloir lire comment va le gamin. »

Et la tante à Mahlke me montra la lettre de Mahlke : « Ben lisez donc voir. » Mais je ne lus pas. Papier entre des doigts sans gants. Un vent barbelé soufflait sec, de la

Place Max-Halbe et était intenable. Mon cœur battait du talon et voulait enfoncer la porte. Sept frères parlaient en moi, et aucun n'écrivait. Certes le vent charriait de la neige, mais le papier à lettre s'imposait plus nettement, en dépit de sa qualité médiocre, brun grisâtre. Je peux le dire aujourd'hui, je compris tout de suite, mais je gardai un regard fixe sans vouloir voir, comprendre; car avant que le papier ne se défroissât à portée de mes yeux, j'avais compris que Mahlke avait à nouveau le vent en poupe : des dessins à contours maladroits sous une calligraphie bien propre. En ligne péniblement droite, déviée, parce que tracée sans appui, huit douze treize quatorze cercles inégalement aplatis, et sur chaque haricot une espèce de verrue, et de chaque verrue comme une poutre surplombant les coques bosselées et montrant le bord gauche de la feuille et tous ces blindés — car si maladroits que fussent les dessins, je reconnus le *T-34* russe — portaient en un point, la plupart entre la tourelle et la coque, une petite marque verrulytique, la croix authentifiant le coup au but. De plus, car le comptable avait compté avec l'entendement obtus des spectateurs de son dessin, des croix de crayon bleu énergiques et excédant les dimensions des blindés rayés biffaient les quatorze — le compte y était — *T-34* esquissés à la mine de plomb.

Non sans quelque complaisance, j'expliquai à la tante de Mahlke qu'il s'agissait manifestement de blindés que Joachim avait détruits. Mais la tante de Mahlke ne marqua aucun étonnement, tout le monde lui avait déjà dit ça, mais ce qu'elle ne pouvait pas comprendre, c'est pourquoi il y en avait tantôt plus tantôt moins, une fois huit seulement et sur l'avant-dernière lettre, vingt-sept.

« C'est p't'êt' pasque la poste vous arrive si irrégulié-ment. Faudrait lire, M'sieu Pilenz, c'qu'écrit not' Joachim. Et de vous aussi, pour des cierges — mais on en a déjà eu quelques. » Du coin de l'œil seulement, je survolai la lettre : Mahlke, plein de sollicitude, s'informait des petits et des gros bobos de sa mère et de sa tante — la lettre était adressée aux deux femmes — s'informait de varices et de lumbagos, voulait être tenu au courant de l'état du jardin : « Est-ce que le prunier a encore bien donné ? Que deviennent mes cactus ? » De brèves phrases sur son service, qu'il qualifiait de fatigant et plein de responsabilités : « Naturellement, nous avons aussi des pertes. Mais la Vierge continuera à me protéger. » Faisant suite, la demande que la mère et la tante soient assez bonnes pour donner à M. l'abbé Gusewski un, ou, si possible, deux cierges en offrande pour l'autel de Marie : « Pilenz peut peut-être en avoir, ils touchent des bons. » Il jurait de faire raison à saint Judas Thaddée — un neveu au second degré de la Vierge Marie, Mahlke connaissait la Sainte Famille — et de faire dire une messe pour le repos de l'âme de son père accidentellement décédé. « Il nous a quittés sans viatique. » Au bout du papier, encore des choses insignifiantes, un pâle croquis de paysage. « Vous ne pouvez pas vous figurer comme tout est misérable ici, les gens et les nombreux enfants. Pas d'électricité ni d'eau courante. Parfois, on se demande à quoi ça tient — mais c'est probablement comme ça parce que c'est comme ça. Et si un jour vous avez envie et qu'il fasse beau, allez donc à Brösen par le tram — mais habillez-vous chaudement — et regardez voir si, à gauche de l'entrée du port, mais pas si loin au large, on voit les superstructures d'un navire coulé. Dans le temps, il y avait là une épave. On peut la reconnaître à l'œil nu, et Tante a ses lunettes; je serais curieux de savoir si... »

Je dis à la tante de Mahlke : « Alors, vous n'avez pas besoin d'y aller voir. La péniche est toujours à la même place. Et bien le bonjour à Joachim, si vous lui répondez. Il peut être tranquillisé. Rien ne change ici et personne ne chipera si facilement la péniche. »

Et même si les chantiers de Schichau l'avaient chipée, c'est-à-dire repêchée, ferraillée ou remeublée, en quoi cela lui aurait-il rendu service ? Aurais-tu cessé de gribouiller, avec une précision enfantine, des chars russes, et de les barrer au crayon bleu ? Et qui aurait ferraillé la Vierge ? Qui aurait pu ensorceler le bon vieux lycée et en faire de la graine pour oiseaux ? Et le chat et la souris ? Y a-t-il des histoires qui peuvent finir ?

## XI

Ayant sous les yeux les témoignages gribouillés de Mahlke, je dus encore tenir le coup à la maison trois, quatre jours : ma mère cultivait sa liaison avec un chef de chantier de l'Organisation Todt — ou bien offrait-elle encore au gastralgique lieutenant Stiewe ce régime sans sel qui lui inspirait un si vif attachement ? — et ce monsieur, ou bien celui-là, évoluait avec aisance dans notre logement et, sans comprendre le symbole, portait les pantoufles usagées de mon père. Quant à elle, au beau milieu d'une bonne humeur puisée dans la presse du cœur, elle portait un deuil affairé d'une pièce à l'autre : vêtue d'un noir seyant, elle ne faisait pas que l'exhiber dans la rue, mais le balançait aussi entre la cuisine et la salle de séjour. Sur le buffet, elle avait élevé une manière d'autel pour mon frère mort au champ d'honneur, fait encadrer premièrement une photo d'identité agrandie au point d'en devenir méconnaissable qui le montrait en sergent sans casquette, secondement, également sous verre et bordé de noir, les deux annonces de décès de l'*Avant-Poste* et des *Dernières Nouvelles*, troisièmement lié d'un ruban de soie noire un paquet de lettres de la Poste aux Armées, alourdi quatrièmement de la Croix de Fer de Deuxième Classe et de l'écusson de Crimée et placé à gauche du cadre dressé, tandis que cinquièmement et à droite le violon de mon frère avec son archet, disposé sur du papier à musique manuscrit — il s'était plusieurs fois essayé à des sonates pour violon — devait faire équilibre aux lettres.

S'il m'arrive aujourd'hui de regretter mon frère aîné Klaus que j'ai à peine connu, j'étais en ce temps-là jaloux de son autel; je m'imaginais ma photo agrandie encadrée de noir, me sentais désavantagé et me rongeais souvent les ongles quand j'étais seul dans notre salle à manger bourgeoise et qu'il n'y avait pas moyen de ne pas voir l'autel consacré à mon frère.

Pour sûr, un beau matin, j'aurais, tandis que le lieutenant sur le divan surveillait son estomac et que ma mère à la cuisine préparait un flocon d'avoine sans sel, fracassé d'un poing devenu autonome la photo, les annonces de décès, peut-être le violon — mais voilà qu'arriva le jour où je fus convoqué au Service de Travail; je fus ainsi frustré d'une scène qui pourrait se renouveler aujourd'hui encore et durant des années encore : la mort sur le Kouban, ma mère sur le buffet, et moi-même, le grand hésitant, en avions si bien exécuté la mise en scène. Je partis avec mon simulacre de valise en cuir, passai par Berent direction Konitz et eus trois mois durant l'occasion de connaître la lande de Tuchel, entre l'Osche et la Reetz. Toujours du vent et du sable en mouvement. Un printemps pour entomologistes amateurs. Le genévrier grelottait. Pour l'essentiel, cochons et définition d'objectifs : le quatrième cochon en partant de la gauche, plus en arrière deux peupliers jumeaux, c'est là qu'il faut mettre. Mais de beaux nuages par-dessus les bouleaux et des papillons qui ne savaient où aller. Dans la tourbière, sombres, miroitants et circulaires, des étangs où l'on pêchait à la grenade : corassins, carpes moussues. De la nature où l'on baissait le froc. Pour le cinéma, c'était à Tuchel.

Pourtant, bouleaux, nuages et corassins à part, il m'est possible de retracer cette Section du Service de Travail avec son carré de baraques à l'abri du petit bois, son mât de drapeau, ses tranchées-abris et, sur le côté de la baraque-amphi pour la théorie, ses latrines; parce que, pas autrement, et comme sur maquette, parce qu'un an avant moi, avant Winter, Jürgen Kupka et Bansemer, dans le même carré, le Grand Mahlke avait porté le treillis et les bottes et laissé littéralement sa signature : dans les latrines — un abri de planches sans toit planté parmi les genêts, couvert d'un bruit de pins tordus — le mot de deux syllabes, sans prénom et en face du marche-pied luisant, taillé, ou mieux encoché dans une planche de pin, et là-dessous, en romane première classe, mais sans arrondis, plutôt en écriture runique, le début de sa litanie favorite : *Stabat Mater dolorosa*... De quoi saisir d'un saint transport le moine franciscain Jacopone da Todi; même au Service de Travail, j'étais toujours à la remorque de Mahlke. En effet, quand je m'allégeais et que derrière moi, sous moi, pétries d'asticots, s'entassaient les défécations de ma promotion, tu ne permettais pas à mon regard de chômer; j'avais beau siffler ce que je voulais : flagrant, répété à perdre haleine, un texte péniblement entaillé dans le bois me ramenait à Mahlke et à la Vierge.

Et à côté de ça, je suis sûr que Mahlke n'entendait pas plaisanter. Mahlke ne savait pas plaisanter. Il essayait quelquefois. Mais tout ce qu'il faisait, touchait, prononçait devenait grave, significatif et monumental; de même l'inscription cunéiforme sur bois de pin dans une latrine du Service de Travail du Reich entre l'Osche et la Reetz, lieu dit Tuchel-Nord. Sentences d'après-digestion, mirlitons obscènes, anatomie stylisée dans l'énorme ou l'allusif. Le texte de Mahlke surclassait tous les autres, scatologies plus ou moins spirituellement formulées qui, gravées ou gribouillées, couvraient la clôture de bois abritant du vent les latrines et faisaient parler les planches.

Peu s'en fallut en ce temps-là... et parce que Mahlke avait fait une citation si précise et en le plus secret des lieux, que je ne donnasse petit à petit dans la piété; n'aurais pas besoin, à présent, parmi les borborygmes de ma conscience, de fournir au Foyer Kolping un travail d'assistance médiocrement payé, pas besoin de découvrir à Nazareth un communisme précoce, ni un christianisme attardé dans les kolkhozes ukrainiens; je serais enfin quitte de ces interminables conférences nocturnes avec le P. Alban; je pourrais croire, croire n'importe quoi, en je ne sais foutre quoi, ou bien en la résurrection de la chair; mais un jour que j'avais fait une corvée de petit bois pour la cuisine de la Section, je pris la hache et hâchai avec la litanie favorite de Mahlke; j'abolis aussi ton nom.

Toujours la vieille histoire de la tache ineffaçable, un peu comme ça : chair de poule, morale et transcendance; en effet, la place effacée aux fibres fraîches gueulait encore plus fort qu'auparavant l'inscription faite à la pointe du couteau. De même ton témoignage dut se multiplier avec les éclats de bois, car dans la Section, entre cuisine, poste de garde et magasin d'habillement circulaient, surtout le dimanche, quand de déplaisance on se mettait à compter les mouches, des histoires comme ça. Toujours les mêmes rengaines, avec d'insignifiantes variations sur un gars du Service de Travail nommé Mahlke; avait été un an avant en service à la Section Tuchel-Nord et fait des trucs formidables. Deux chauffeurs de camion, le chef-cuistot et le garde-mites étaient de l'époque; ils avaient passé à travers toutes les mutations; ils disaient par exemple, et sans se contredire sur le fond : « Il était chouette quand il est arrivé. Des cheveux jusque-là. Bon. On le passe au coiffeur. Ça valait pas mieux : des feuilles à battre les œufs en neige et un gaviot, je vous dis, un gaviot! L'avait aussi — ben, un jour que — et quand la fois par exemple — mais le plus renversant, c'est quand j'ai envoyé toute la coterie des parachutés à Tuchel pour l'épouillage, parce que, hein, je suis garde-mites. Les v'là tous sous la douche que je me dis : j'ai la berlue; je regarde encore un coup. Sois pas jaloux, que je me dis : il avait une queue, un braquemard, je peux vous le dire en douce, quand il était en train, comme un âne ou davantage; en tout cas, avec son outillage, la femme du chef de camp, quarante ans, bien conservée, hein, aïe donc, par devant et par derrière; rapport que cet idiot de chef de chantier — l'ont plus tard envoyé en France, c'était un pénible — l'a pris pour bâtir une cabane à lapins près de sa maison, la deuxième à gauche dans la cité des cadres. Le Mahlke, c'était son nom, il s'est d'abord refusé, sans ramener sa fraise, mais bien calme, objectif, avec référence au règlement. Mais le chef l'a quand même renquillé, à lui mettre le cul par terre, l'a envoyé deux jours de suite aux latrines : corvée de chiottes. Moi, j'ai pris le tuyau d'arrosage du jardin, et je l'ai douché toujours à bonne distance, parce que les autres le laissaient pas entrer au lavabo, et à la fin il a cédé, il y est allé avec des planches, des caisses et des outils; mais pour ce qui est de lapins, la peau! Paraît qu'il a joliment biscotté la vieille. Elle l'a encore réquisitionné une semaine et plus pour travaux de jardinage, et le Mahlke se tirait chaque matin et rentrait pour l'appel du soir. Seulement comme le clapier n'était toujours pas fini, le chef, forcément, a eu comme une lueur. Sais pas s'il les a surpris un coup que la vieille était sur le dos ou bien sur la table de cuisine, ou bien peut-être comme papa et maman chez soi au pucier; en tout cas ça a dû lui couper le sifflet quand il a vu le machin du gars Mahlke; en tout cas il n'en a pas soufflé mot à la Section : un tour de force! Et à tout bout de champ il envoyait Mahlke en mission à Oliva et Oxhöft pour chercher des pièces de rechange, histoire que ce gros couillu ne soit pas à la Section. Car la femme au chef doit avoir bien pleurniché à cause que et cætera. Aujourd'hui encore on se repasse des tuyaux du bureau : ils s'écrivent des lettres. Et il y avait anguille sous roche. On ne voit jamais les choses à fond. Du reste le même Mahlke — j'y étais — près de

Gross-Bislaw, il a découvert par ses propres moyens un dépôt d'armes souterrain de partisans. Encore une histoire pas ordinaire. C'était ma foi un étang tout à fait banal, comme il y en a partout ici. On était dans le secteur, moitié exercice en campagne, moitié patrouille. On était déjà depuis une demi-heure embusqués près de la mare, et le Mahlke le voilà qui regarde et qui regarde encore; minute, qu'il dit, y a quelque chose de pas normal. Là, le sous-chef, comment qu'il s'appelait déjà, il ricane, nous aussi, mais il le laisse faire, et le Mahlke en cinq secs il ôte son uniforme et commence à sonder l'étang. Et qu'est-ce que je vous dis : dès la quatrième descente, il trouve en plein dans la patrouille brune, mais à pas cinquante centimètres en dessous de la surface, l'entrée d'un dépôt bétonné tout moderne avec monte-charge hydraulique qu'on pouvait faire ressortir : on en a pour remplir quatre camions, et le chef a dû le féliciter devant la Section rassemblée. Paraît même que malgré l'histoire avec sa femme, il l'a proposé pour une petite décoration. L'ont envoyé ensuite à la riflette. Voulait aller dans les blindés, s'ils l'ont pris. »

Au début, je me tenais sur la réserve. De même Winter, Jürgen Kupka et Bansemer devenaient réticents quand la conversation venait sur Mahlke. Quelquefois, en allant chercher la soupe, ou bien quand en partant pour l'exercice en campagne il fallait traverser la cité des cadres, et que la deuxième maison à gauche n'avait toujours pas de cabane à lapins, nous échangions tous quatre un regard furtif. Ou bien c'était un chat immobile, à l'affût dans une verte prairie légèrement mouvante : déjà nous nous mettions d'accord par des regards significatifs, nous devenions un groupe tacite, bien que Winter et Kupka, et surtout Bansemer, me fussent passablement indifférents.

Juste quatre semaines avant notre renvoi dans nos foyers — nous étions en permanence engagés contre les partisans, mais personne à attraper, ni de pertes — en un temps donc où l'on ne quittait plus la tenue de campagne, renouveau de potins. Ce garde-mites qui avait habillé Mahlke et l'avait conduit à l'épouillage, le rapportait tout chaud du bureau : « Primo il y a encore une lettre de Mahlke à la femme de l'ancien chef. Sera fait suivre en France. Secundo il y a une demande d'information de tout en haut. On y travaille, Tertio, et ça je vous le dis : Ça, Mahlke l'avait dans le coffre dès le début. Mais en si peu de temps! Non, autrefois, il aurait pu avoir de pareilles douleurs à la gorge s'il n'avait pas été officier. Mais maintenant ça se peut pour tous les grades subalternes. Paraît qu'il serait le plus jeune. Quand je me le figure, avec ces oreilles qu'il avait... »

Alors la parole déborda de ma bouche. Winter fit chorus. Jürgen Kupka aussi, et Bansemer durent répandre leur savoir.

— Oh, vous savez, le Mahlke, on le connaît depuis longtemps.

— Il était déjà chez nous au bahut.

— Il avait depuis toujours, même tout juste à quatorze ans, terriblement mal à la gorge.

— Oui, et l'affaire du lieutenant de vaisseau ? La fois que pendant la classe de gym il a fauché au frégaton le truc à ruban pour se mettre au cou ? Ainsi donc...

— Non, faut commencer par le phono.

— Et les boîtes de conserves, ça ne compte pas ? Donc, tout au début, il portait un tournevis...

— Minute! Si tu veux commencer au début, faut reprendre au tournoi de thèque sur le terrain Heinrich-Ehlers. Voilà comment c'était : nous sommes couchés par terre et Mahlke roupille. Voilà qu'un chat gris arrive tout droit par la pelouse et vers le cou de Mahlke. Et quand le chat voit son cou, il se dit c'est une souris qui remue et il saute...

— Tient pas debout, mon vieux; c'est Pilenz qui a pris le chat et qui — ou bien ?

Deux jours plus tard nous en reçûmes la confirmation officielle. La Section fut informée au rassemblement du matin : un ancien membre du Service de Travail de la Section Tuchel-Nord, d'abord comme simple tireur, puis comme sous-officier et chef de char, avait lors d'engagements ininterrompus et dans un secteur d'importance stratégique; tant et tant de blindés russes, de plus et cætera et cætera.

Nous étions déjà en train de rendre nos frusques, la nouvelle promotion devait arriver, voilà que ma mère m'envoie une coupure de presse de l'*Avant-Poste*. Et c'était imprimé en lettres : Un fils de notre ville, lors d'engagements ininterrompus, d'abord comme simple tireur, puis comme chef de char et cætera et cætera.

# XII

Marne à galets, sable, tourbières scintillantes, broussailles à cochons, théories de pins en fuite, étangs grenades à main, corassins, nuages sur bouleaux, partisans derrière les touffes de genêts, genévriers, le bon vieux Löns, poète des landes — il était de par là — et le cinéma de Tuchel, au revoir; je n'emportai que ma valise en similicuir ainsi qu'un bouquet passé de bruyère. Mais déjà pendant le voyage, quand je lançai la bruyère entre les voies après Karthaus, dans toutes les gares de banlieue, puis à la Gare Centrale, devant les guichets, dans la foule des permissionnaires, à l'entrée du bureau régulateur et dans le tramway de Langfuhr, je commençai au mépris de toute logique, mais sous l'empire d'une obsession, à chercher Joachim Mahlke. Je me trouvais ridicule et percé à jour dans ma tenue civile devenue trop étroite, tenue de lycéen; je n'allai pas à la maison — qu'est-ce qui pouvait bien m'y attendre ? — je descendis à proximité de notre lycée, à l'arrêt Palais des Sports.

Je confiai au concierge ma valise en carton, mais ne lui demandai rien; j'étais partout chez moi et grimpai le grand escalier de granit par bonds de trois marches. Non pas que je me sois attendu à l'intercepter dans le hallsalle des fêtes — les deux portes en étaient ouvertes, mais il-elle ne renfermait que des femmes de ménage qui mettaient les bancs cul par-dessus tête et savonnaient le bois pour Dieu sait qui. Je pris à gauche : colonnes de granit trapues où rafraîchir un front brûlant. Le marbre commémoratif des morts des deux guerres, avec encore pas mal de place, Lessing dans sa niche. Partout il y avait classe, car tous les couloirs entre les portes de classes étaient vides. Une fois seulement, un bizuth de quatrième qui portait un rouleau de cartes fit sonner le pas de ses jambes grêles au beau milieu de l'espace octogone dont l'odeur mesurait tous les angles. 3e A, 3e B; Dessin; 5e A; l'armoire vitrée pour mammifères empaillés — au fait, qu'est-ce qu'il y avait dedans ? Naturellement un chat. Et où était la souris fiévreuse ? Passais devant la salle des actes. Et quand le corridor dit Amen, adossé à la claire fenêtre de façade, entre le secrétariat et le cabinet directorial, le Grand Mahlke sans souris : car il avait au cou l'article en question, le tralala, le machin, le chose, l'aimant, le contraire d'un oignon, le trèfle à quatre feuilles galvanisé, le bonbon, le biseness, le truc, le ding-ding-ding, le bidule, le je-ne-sais-quoi, l'anonyme, le je-le-dirai-pas.

Et la souris ? Endormie, elle hibernait en juin. Dormait sous une couverture épaissie, car le volume de Mahlke avait augmenté. Non pas que X, le destin ou un romancier, l'ait détruite ou rayée, comme Racine avait biffé le rat de son blason et toléré seulement le cygne. Toujours animal héraldique, la souris semblait vivre en rêve, quand Mahlke avalait sa salive; car de temps à autre le Grand Mahlke, si décoré qu'ils l'eussent, devait avaler sa salive.

De quoi avait-il l'air ? Les opérations militaires t'avaient fait grossir, facilement de deux épaisseurs de buvard, je l'ai déjà dit. Tu étais à demi accoudé, à demi assis sur l'appui peint en blanc de la fenêtre. Comme tous ceux qui servaient dans les blindés, tu portais cette tenue composite de bandit, uniforme de fantaisie mêlé de pièces noires et feldgrau : le pantalon norvégien gris recouvrait les tiges de bottes noires cirées à mort. Une vareuse de tankiste noire, étroite, faisant des grimaces et te pinçant sous les bras — car tu avais les bras en anses de cruche — seyante pourtant, te faisait paraître chétif en dépit des quelques livres gagnées. Sur la vareuse, pas de décoration. Pourtant tu avais les deux croix et encore je ne sais quoi, mais pas d'insigne de blessure : grâce à la Vierge, tu étais à l'épreuve des balles. Naturellement : tout ce qui, placé sur la poitrine, aurait pu détourner les regards, manquait. Le ceinturon crevassé, négligemment astiqué, ne pinçait qu'une courte main d'étoffe : si courtes étaient les vareuses des Panzers qu'on les appelait boléros de singe. Si le ceinturon, avec la collaboration du pistolet porté très en arrière, presque sur la fesse, s'efforçait d'atténuer la rigueur affectée de ton attitude par une touche d'oblique audace, en revanche ton calot gris était bien d'aplomb, sans le coup de bascule à droite qui était alors à la mode comme aujourd'hui, et me rappelait, par son pli axial, ton penchant à la symétrie, et aussi la raie au milieu de tes années scolaires et plongeantes, quand tu feignais de vouloir devenir clown. Idem tu ne portais plus, avant et après qu'on eût guéri tes maux de gorge par une application de métal, tes cheveux de rédempteur. Cette brosse bête, coupée à longueur d'allumette, qui en ce temps-là ornait les conscrits, et donne aujourd'hui aux intellectuels fumeurs de pipe l'apparence de modernes ascètes, on te l'avait taillée ou tu te l'étais taillée. Quand même ! un air de Rédempteur : l'aigle de souveraineté, sur un calot cloué comme sur un fil à plomb, s'écarquillait au-dessus de ton front comme la colombe du Saint-Esprit. Ta peau mince, sensible à la lumière. Des comédons sur le nez charnu. Les paupières supérieures, tissues de veinules rougeâtres, tu les tenais baissées. Et quand je fus devant toi, respirant précipitamment, sachant le chat empaillé dans la vitrine derrière moi, ton regard s'agrandit à peine.

Premier essai de plaisanter : « B'jour, sergent Mahlke ! » La plaisanterie fit long feu. — J'attends Klohse. Il vend des maths quelque part.

— Eh bien, il va être content.

— Je veux lui parler pour la conférence.

— T'as déjà été dans la salle des fêtes ?

— Mon topo est préparé mot à mot.

— T'as vu les femmes de ménage ? Elles sont déjà en train de lessiver les bancs.

— Je vais jeter un coup d'œil rapide chez Klohse et discuter avec lui l'ordonnance des chaises sur l'estrade.

— Il sera content.

— J'insisterai pour que l'exposé soit réservé aux élèves au-dessus de la quatrième.

— Klohse sait que tu l'attends ici ?

— Mademoiselle Hersching, du secrétariat, l'a informé.

— Eh bien, il va être content.

— Je ferai un exposé très bref, mais concentré.

— Ben, mon vieux, raconte tout de même comment tu as obtenu ça, et en si peu de temps ?

— Mon cher Pilenz, patience, je te dis : dans mon exposé seront touchés et traités sensiblement tous problèmes en rapport avec la citation.

— Eh bien, Klohse va être content.

— Je lui demanderai de ne pas faire d'introduction ni de présentation.

— Est-ce que peut-être Mallenbrandt... ?

— Le concierge peut annoncer la conférence, et puis basta.

— Eh bien, il va être...

La sonnerie bondit d'étage en étage et acheva les heures de classe dans toutes les classes du lycée. Alors seulement s'ouvrirent en grand les yeux de Mahlke. Peu dc cils s'écartèrent brièvement. Son attitude recherchait un air de nonchalance — mais il était rasé pour bondir. Inquiété par derrière, je me tournai à demi vers la vitrine : ce n'était pas un chat gris, mais plutôt un chat noir à pattes blanches qui rampait sans arrêt dans notre direction et montrait un médaillon blanc. Les chats empaillés savent ramper plus authentiquement que les chats vivants. Sur un petit écriteau dressé était tracé en calligraphie : le Chat domestique. Je dis à la fenêtre, parce qu'à la fin de la sonnerie le silence me pesa, et aussi parce que la souris se reveillait et que le chat prenait une importance croissante, je ne sais quel propos badin et encore quelque propos badin, et quelque chose sur sa mère et sa tante, sur son père, sur la locomotive de son père — c'était pour l'encourager — sur la mort de son père à Dirschau et sur la médaille de bravoure conférée à son père à titre posthume : « Eh bien, ton père, s'il était encore en vie, il serait sûrement content. »

Mais avant que j'aie évoqué son père, avant que le chat eût fini son allocution à la souris, le proviseur Waldemar Klohse interposa une voix haute et sans bavures. Klohse ne prononça pas de salutation de bienvenue, ne dit pas sergent et titulaire du tralala, ne dit pas non plus Monsieur Mahlke, je me réjouis sincèrement, mais seulement en marge, après avoir marqué un vif intérêt pour mon temps de service de travail et les beautés écologiques de la Lande de Tuchel — c'est là-bas que Löns grandit — il fit défiler par-dessus le calot de Mahlke une ordonnance bien réglée de paroles : « Voyez-vous, Mahlke, vous vous en êtes tiré quand même. Êtes-vous déjà allé au lycée Horst-Wessel ? Mon éminent collègue, Monsieur le proviseur Wendt, sera content. A coup sûr, vous ne manquerez pas de faire à vos anciens condisciples une petite conférence de nature à fortifier la foi en nos armes. Puis-je vous prier d'entrer pour une minute dans mon cabinet. »

Et le Grand Mahlke, avec ses bras en anses de cruche, suivit le proviseur Klohse dans le cabinet directorial et, en franchissant la porte, ôta son calot de ses cheveux raides : son occiput était bosselé. Un lycéen en uniforme était sur la voie d'une grave discussion dont je n'attendis pas l'issue, bien que mon attente fût extrême : j'aurais bien voulu savoir ce que la souris déjà bien réveillée et avide d'entreprises dirait après la discussion à ce chat qui, bien qu'il fût empaillé, rampait toujours.

Petit triomphe minable : encore un coup, je prenais le dessus. Attends un peu! Mais il ne pourra, voudra, pourra pas céder. Je viendrai à son aide. Je peux toujours parler à Klohse. Je chercherai des mots qui vont au cœur. Dommage qu'ils aient envoyé le père Brunies à Stutthof. Il l'aurait pris sous les bras, avec ce bon vieux romantique d'Eichendorff dans sa poche.

Mais nul ne pouvait aider Mahlke. Peut-être, si j'avais parlé à Klohse. Mais je lui parlai; une demi-heure d'affilée, je me laissai souffler au visage des paroles aux pastilles de pippermint; penaud et machiavélique, je ripostais : « Probablement, et autant qu'un homme puisse juger, vous avez raison, Monsieur le Proviseur. Mais ne pourrait-on pas, en considération, je veux dire, dans ce cas particulier. D'un côté, je vous comprends parfaitement. Le facteur péremptoire : le bon ordre de l'établissement. Tout se paie; d'autre part, le fait qu'il ait si tôt perdu son père... »

Et je parlai aussi à M. l'abbé Gusewski, et je parlai à Tulla Pokriefke, qu'elle en parle à Störtebeker et à son club. J'allai voir mon ancien Chef de Jeunesse. Depuis la Crète, il avait une jambe de bois, était derrière un bureau de la Sous-Région du Parti, sur la place Winter; il fut enthousiasmé de ma suggestion et satirisa les pédants de collège : « C'est clair, nous le ferons. Qu'il vienne, le Mahlke. Je me souviens vaguement de lui. Il n'a pas eu une histoire ? Passons l'éponge. Je vais battre le rappel. Même le B. D. M. et l'Organisation féminine. Je vais organiser une salle en biais en face, à la Direction des Postes, trois cent cinquante chaises... »

Et M. l'abbé Gusewski voulait réunir ses vieilles dames et une douzaine d'ouvriers catholiques à la sacristie, parce qu'il n'avait pas la disposition d'une salle communale.

« Peut-être votre ami pourrait-il, afin que l'exposé reçoive un cadre conforme à l'Église, dire au début quelques mots sur Saint-Georges et, pour terminer, évoquer le réconfort et l'efficacité de la prière au milieu de la détresse et du danger. » Telles furent les propositions de Gusewski; il se promettait monts et merveilles de la conférence.

Je mentionnerai encore en marge cette cave que voulaient offrir à Mahlke la bande de J-3 qui entourait Störtebeker et Tulla Pokriefke. Un certain Rennwand que je connaissais vaguement — il était enfant de chœur au Sacré-Cœur — me fut présenté par Tulla, fit de mystérieuses allusions et parla de sauf-conduit pour Mahlke; seul le pistolet devait être déposé : « Naturellement, s'il vient chez nous, on lui bandera les yeux. Il devra également signer une petite déclaration sous serment, rapport au silence, simple question de forme. Bien entendu nous le paierons décemment. Ou bien en liquide ou bien en chronomètres réglementaires de l'Armée. Nous ne faisons non plus rien pour rien. »

Mais Mahlke ne voulut ni l'un ni l'autre — ni d'honoraires non plus. Je le rudoyai : « Qu'est-ce que tu veux, au fond ? Rien ne te suffit. Va donc à Tuchel-Nord. Il y a maintenant une nouvelle promotion. Le chef et le chef-cuistot te connaissent encore de ton temps et seraient sûrement ravis si tu vas faire un tour par là chez eux et une conférence. »

Mahlke écoutait avec calme toutes les suggestions, il souriait par places, marquait son approbation d'un hochement de tête, posait des questions réalistes concernant l'organisation des manifestations projetées et, aussitôt que nul obstacle n'entravait plus l'un quelconque des projets, rejetait tout d'un mot grognon, y compris une invitation de la Direction régionale du Parti; car d'emblée il ne connaissait qu'un objectif : la salle des fêtes de notre lycée. Il voulait apparaître dans la lumière grouillante de poussière filtrée par les fenêtres à ogives néo-gothiques; voulait opposer son discours à l'odeur de trois cents lycéens pétant avec ou sans bruit; voulait savoir réunies autour de lui les têtes usées de ses anciens professeurs; voulait avoir en face de lui, au bout de la salle des fêtes, ce tableau à l'huile figurant le fondateur de l'établissement, le baron de Conradi, fromage immortel sous une couche épaisse de vernis miroitant; voulait entrer dans la salle par l'une des portes à double battant vieux brun, voulait après un exposé bref, peut-être calculé, ressortir par l'autre porte; mais Klohse, en knickerbocker à petits carreaux lui barrait à la fois les deux portes : « Comme soldat vous devriez savoir, Mahlke. Non, les femmes de ménage savonnaient les bancs sans motif particulier, pas pour vous, pas pour votre discours. Si bien médité que soit votre projet, il ne peut réussir : beaucoup de gens — il faut vous le dire — aiment toute leur vie les tapis précieux et meurent pourtant à même les lames du plancher, Apprenez à renoncer, Mahlke! »

Et Klohse esquissa un recul tactique, convoqua le Conseil intérieur, et le Conseil intérieur, en accord avec le proviseur du Lycée Horst-Wessel, décida : « Le bon ordre de l'établissement exige... »

Et Klohse se fit confirmer par l'Inspecteur d'Académie qu'un ancien élève dont les antécédents, même si, compte tenu des temps difficiles et graves, sans toutefois accorder à l'affaire une importance exagérée, surtout que l'incident datait de longtemps, pourtant et parce que l'incident était sans exemple, les collègues des deux établissements étaient unanimes à...

Et Klohse écrivit une lettre de caractère strictement privé. Et Mahlke lut que Klohse ne pouvait suivre le mouvement de son cœur. Certes, malheureusement, l'époque et les circonstances étaient telles qu'un enseignant expérimenté et marqué par la charge de sa profession ne pouvait laisser simplement et paternellement laisser parler son cœur; il priait qu'on lui accordât, dans l'intérêt de l'établissement et par référence expresse au vieil esprit conradien, un soutien viril; il entendrait volontiers cet exposé que Mahlke songeait, bientôt sans doute et sans pensée amère, faire au Lycée Horst-Wessel; ou bien il pourrait, comme il convient au héros, choisir la meilleure part et se taire.

Mais le Grand Mahlke se trouvait dans une allée pareille à cette allée en tunnel, dans le parc du château d'Oliva, feutrée, riche en épines et sans oiseaux, qui n'avait pas d'allées adjacentes et cependant était un labyrinthe : tandis qu'il dormait toute la journée, jouait avec sa tante ou bien, las et oisif, semblait attendre la fin de sa permission, il évoluait à pas de loup avec moi, moi derrière lui, jamais devant, rarement à côté, dans la nuit de Langfuhr. Nous ne vaguions pas sans but : nous ratissions l'avenue Baumbach, au silence distingué, obéissante aux règlements de la défense passive, où il y avait des rossignols, où habitait le proviseur Klohse. Moi, épuisé, derrière le dos de son uniforme : « Fais pas le con. Tâche plutôt de te tirer. Qu'est-ce que ça peut te faire. Les quelques jours de permission qui te restent. Au fait, t'as encore combien de permission ? Mon vieux, ne fais seulement pas le con... »

Mais le Grand Mahlke avait entre ses oreilles décollées une tout autre mélodie que la monotone litanie de mes exhortations. Jusqu'à deux heures du matin, nous assiégeâmes l'avenue Baumbach et ses deux rossignols. Deux fois, il était accompagné, nous avions dû le laisser passer. Mais, lorsqu'après quatre nuits d'embuscade, le proviseur Klohse remonta l'avenue Baumbach,[1] tout seul, vers onze heures du soir, haut et mince, en knickerbockers mais sans chapeau, sans manteau — car l'air était doux — en venant du Chemin Noir, le Grand Mahlke lança en avant sa main gauche et saisit le col de chemise à cravate civile de Klohse. Il poussa le pédago contre une clôture artistique en fer forgé derrière laquelle fleurissaient des roses qui — parce qu'il faisait si noir — encore plus fort que ne pouvaient chanter les rossignols, répandaient alentour un parfum particulièrement fort. Et Mahlke admit le conseil épistolaire de Klohse, il choisit la meilleure part, le silence du héros et sans mot dire, gauche droite, du dos de la main et de la paume, il frappa le visage rasé du proviseur. Tous deux rigides à la prussienne, seul vivait et parlait le claquement des gifles; car Kloshe tenait aussi sa petite bouche close et ne voulait pas mêler au parfum des roses une haleine de pippermint.

Cela eut lieu un jeudi et dura une courte minute. Nous laissâmes Klohse debout contre la clôture de fer. C'est-à-dire que Mahlke fit demi-tour le premier, traversa sur ses bottes le trottoir de gravier sous l'érable rouge qui, plutôt noir, abritait de haut toute la scène. Je tentai de placer à Kloshe le pâle équivalent d'une excuse, pour Mahlke — et pour moi. Le giflé fit de la main un signe négatif; il n'avait déjà plus l'air d'un homme giflé; il s'était redressé et, silhouette sombre, soutenu de fleurs coupées et de rares voix d'oiseaux, personnifiait l'établissement, l'école, la fondation Conradi, l'esprit conradien, le Conradinum; ainsi s'appelait notre lycée.

Depuis ce lieu, cette minute, nous marchions par des rues inanimées de faubourg sans plus un mot de disponible pour Klohse. Mahlke parlait tout seul sur un ton d'objectivité marquée : des problèmes qui pouvaient le préoccuper, moi aussi partiellement, à cet âge. Par exemple : y a-t-il une vie après la mort ? Ou bien : crois-tu à la migration des âmes ? Mahlke causait : « Ces derniers temps, je lis pas mal Kierkegaard. Plus tard tu dois absolument lire Dostoïewski, c'est-à-dire quand tu seras en Russie. Ça t'expliquera bien des choses, la mentalité et cætera. »

Plusieurs fois nous fîmes halte sur des ponts du ruisseau de Striess, un filet d'eau plein de sangsues. C'était bon de se pencher à la balustrade pour guetter les rats. A chaque pont, la conversation s'éloignait du banal, je veux dire des pénibles rabâchages de connaissances pour potaches : navires de guerre, épaisseur de leur blindage, armement et vitesse en nœuds; elle en venait à la religion et aux questions dites ultimes. Sur le petit pont de Nouvelle-Écosse, nous sondâmes fixement d'abord, longuement, le ciel de juin semé d'étoiles, puis — chacun à part soi — le ruisseau. Mahlke, à mi-voix, tandis qu'à nos pieds l'émissaire plat de l'étang de la Société par actions se brisait sur des boîtes à conserves et charriait, venu de la brasserie par actions, un relent de levure : « Naturellement je ne crois pas en Dieu. La traditionnelle escroquerie pour abêtir le peuple. La seule en qui je crois est la Vierge Marie. C'est pourquoi je ne me marierai pas. »

C'était une petite phrase assez brève et confuse pour être énoncée sur un pont. La phrase me resta. Partout où un ruisseau, un canal est enjambé d'un ponceau, toujours quand l'eau gargouille et se brise sur les immondices que partout des gens malpropres jettent du haut de ponts dans les ruisseaux et les canaux, voici Mahlke auprès de moi, bottes, pantalon flottant retombant sur les bottes, en boléro de singe pour tankiste; il se penche par-dessus la balustrade, laisse pendre verticalement le truc à son cou, fête un grave triomphe et, clownesque, par-delà chat et souris, promulgue son irréfutable foi : « Naturellement pas en Dieu. Escroquerie, abêtir le peuple. Seule Marie. Me marierai pas. »

Et il prononça encore un flot de paroles qui tomba dans

le ruisseau de Striess. Nous fîmes peut-être dix fois le tour de la place Max-Halbe, douze fois le Champ de Manœuvre de haut en bas et retour. Indécis, nous étions au terminus de la ligne Cinq. Nous regardions, non sans avoir faim, les receveurs et les receveuses à indéfrisables, assis dans la baladeuse aux vitres obscurcies en bleu; ça mordait dans des sandwiches et buvait à des bouteilles Thermos.

... et une fois il vint un tramway — ou bien aurait pu venir un tramway où Tulla Pokriefke qui, depuis des semaines, devait fournir un service auxiliaire de guerre, aurait pu être comme receveuse, le képi de travers. Nous lui aurions parlé, et je lui aurais pris un rendez-vous si elle avait été de service sur la ligne Cinq. Mais nous ne vîmes que son petit profil derrière la vitre bleue à demi opaque, et nous n'étions pas sûrs.

Je dis : « Tu devrais essayer avec elle. »

Mahlke, torturé : « T'as pourtant bien entendu que je ne me marierai pas. »

Moi : « Ça te changerait les idées. »

Lui : « Et qui est-ce qui me les rechangera après ? »

Je tentai de plaisanter : « La Vierge Marie, naturellement. »

Il avait des scrupules : « Et si Elle est offensée ? »

Je coupai la poire en deux : « Si tu veux, je servirai la messe chez Guswski demain matin. »

Il me surprit par la promptitude de son « D'accord! » et évolua vers cette remorque de tramway qui nous promettait toujours le profil de Tulla Pokriefke en receveuse. Avant qu'il ne montât dans la voiture, je criai : « Au fait, combien de temps as-tu encore de permission ? »

Et le Grand Mahlke, par la porte de la remorque : « Mon train est parti il y a quatre heure et demie et, sauf incident, il doit arriver maintenant sur Modlin. »

## XIII

*Misereatur vestri omnipotens Deus et dimissis peccatis vestris...* Cela s'échappait avec aisance, comme autant de bulles de savon, de la bouche en cul de poule de M. l'abbé Gusewski, chatoyait comme l'arc-en-ciel, se balançait comme échappé d'un chalumeau secret, sans savoir que faire, puis ça montait enfin et reflétait les fenêtres, l'autel, la Vierge, te reflétait, moi, tout et éclatait sans douleur, quand la bénédiction faisait des bulles : *Indulgentiam, absolutionem et remissionem peccatorum vestrorum...* Mais à peine l'*Amen* prononcé par sept ou huit croyants avait-il embroché ces bulles que Gusewski éleva l'hostie, forma plus parfaitement ses lèvres et fit grandir la bulle de savon géante qui tremblait épouvantée dans les courants d'air, et la lança, du bout rouge clair de sa langue : et longuement elle monta, avant de retomber et de s'évanouir près du second banc devant l'autel de Marie : *Ecce Agnus Dei...*

Mahlke s'agenouilla le premier au banc de Communion, avant même que le « Seigneur, je suis indigne que tu entres sous mon toit » se fût trois fois répété. Gusewski n'avait pas encore descendu les marches de l'autel et longé le banc qu'il fléchit la tête en arrière, inclina son visage en pointe aux yeux battus parallèlement au plafond bétonné de la chapelle et, de la langue, écarta ses lèvres. Temps d'arrêt : le prêtre, avec l'hostie qu'il lui destinait, décrivait une petite croix fugitive au-dessus de lui : son visage suait. La rosée perlait aux pores et se mettait à glisser. Il ne s'était pas rasé : les poils embrochaient les perles. Ses yeux de poisson bouilli ressortaient. Peut-être que le noir de sa vareuse de tankiste rehaussait sa pâleur. Bien qu'il sentît sa langue devenir épaisse, il ne faisait pas fonctionner sa glotte. Piqué à son collet, l'objet de fer qu'il avait gagné à gribouiller d'une main enfantine et à barrer d'une croix tant de blindés russes faisait la croix de fer au-dessus du bouton supérieur et n'était là pour personne. Quand M. l'abbé Gusewski déposa l'hostie sur la langue de Joachim Mahlke, et qu'il absorba la pâtisserie légère, alors seulement il dut avaler sa salive; un enchaînement auquel s'associa le métal.

Célébrons encore une fois le sacrement à trois, et encore d'autres fois : tu es agenouillé, je suis debout derrière toi, la peau sèche. Ta sueur élargit tes pores. M. l'Abbé dépose l'hostie sur ta langue chargée. L'instant d'avant, tous trois, nous rimions ensemble avec un même mot; voici qu'un mécanisme rentre ta langue. Tes lèvres se rejoignent. Ta déglutition se propage et, tandis que l'objet de fer vibre en écho, je sais que le Grand Mahlke quittera fortifié la chapelle Sainte-Marie; cela séchera sa sueur; si, un instant plus tard, son visage humide luisait cependant, ce n'était que de pluie. Dehors, devant la chapelle, il bruinait.

Dans la sacristie, on était au sec; Gusewski dit : « Il

doit être devant la porte. Il faudrait peut-être lui dire d'entrer, mais... »

Je dis : « Laissez donc, Monsieur l'abbé, je m'occuperai de lui. »

Gusewski (les mains dans l'armoire, près des sachets de lavande) : « Au moins il ne va pas faire de bêtises ? »

Je le plantai là tout habillé, ne l'aidai pas à ôter ses ornements : « Il vaudrait mieux vous tenir à l'écart de tout cela, Monsieur l'abbé. » Mais aussi je dis à Mahlke, lorsqu'il fut là devant moi, en uniforme trempé de pluie : « Espèce d'idiot, qu'est-ce que tu fiches ici ? Tâche d'aller à Hoch-Striess au bureau régulateur. Invente un truc, à cause de ta permission irrégulière. Je ne veux rien avoir à voir là-dedans. »

J'aurais dû partir sur ces mots, mais je restai, je devins humide à mon tour : le temps de pluie, ça unit. J'essayai de l'apprivoiser : « Ils ne te mangeront pas. Tu peux dire que ta tante ou ta mère a eu quelque chose. »

Mahlke fit oui de la tête quand je mis le point final, laissa plusieurs fois tomber sa mâchoire, rit sans motif, puis déborda : « Je m'en suis payé une tranche hier avec la môme Pokriefke. J'aurais pas cru. Elle est pas du tout comme elle s'en donne l'air. Eh bien, sincèrement : c'est à cause d'elle que je veux plus partir. Après tout, j'ai fait ma part, ou bien quoi ? Je ferai une demande. Peuvent me caser à Gross-Boschpol comme instructeur. Maintenant, que d'autres ramènent leur fraise. C'est pas que j'ai peur, j'en ai marre, c'est tout. Est-ce que tu comprends ? »

Je ne m'en laissai pas imposer et le confondis : « Bon, c'est à cause de la môme Pokriefke. Mais c'était pas elle.

Parce que elle, elle prend le 2 direction Oliva, et pas le 5. Tout le monde sait ça ici. T'as la poisse, à part ça je comprends très bien! »

Il tenait absolument à avoir frayé avec elle. — Avec Tulla, tu peux me croire les yeux fermés. Même chez elle, Elsenstrasse. Sa mère regarde ailleurs. Mais en tout cas je ne marche plus. Peut-être que j'ai peur aussi. Tout à l'heure avant la messe, j'avais peur. Maintenant ça va déjà mieux.

— Dis voir, tu ne crois plus en Dieu, ou bien quoi ?

— Ça n'a rien à voir avec lui.

— Bon, passons l'éponge, et maintenant ?

— On pourrait peut-être voir du côté de Störtebeker et de sa bande. Tu les connais.

— Non, mon vieux. Je n'ai plus rien à faire avec le club. Un de ces jours, ils vont se brûler les doigts. T'aurais mieux fait de demander chez Pokriefke, puisque c'est chez elle que...

— Pige donc : je ne peux plus me faire voir dans l'Allée de l'Est. S'ils n'y sont pas déjà, ça ne va pas tarder... dis voir, est-ce que je pourrais dans la cave chez vous, quelques jours seulement ?

Mais encore une fois, je ne voulais pas m'en mêler :

— Planque-toi ailleurs. J'ai des parents à la campagne, ou bien derrière chez les Pokriefke dans le hangar à bois de la menuiserie de son oncle... Ou bien sur la péniche.

Le mot porta loin. Certes Mahlke dit encore : « Par ce temps de cochon ? » mais tout était déjà résolu; et, malgré mon opiniâtreté à redire que je ne marchais pas pour l'accompagner à la péniche, à évoquer le temps de cochon, il apparaissait cependant que je devais aller avec lui : le temps de pluie, ça unit.

Une bonne heure durant nous fûmes en route, de Nouvelle-Écosse vers Schellmühl et retour, en remontant encore une fois le long chemin Posadowski. Deux colonnes Litfass, cylindriquement plaquées des mêmes affiches, nous abritèrent du vent, puis nous repartîmes. De l'entrée principale de la Clinique gynécologique municipale, nous vîmes le décor familier : derrière le talus du chemin de fer et les marronniers lourds, les pignons et la flèche du lycée trapu attiraient nos regards; mais Mahlke ne regardait pas, ou bien il voyait autre chose. Puis nous fîmes une demi-heure le pied de grue dans l'abri de l'arrêt Colonie du Reich, en compagnie de trois ou quatre écoliers, sous le même toit de tôle sonore. Les gamins se boxaient avec modération et se poussaient l'un l'autre à bas de la banquette. Vraiment guère la peine que Mahlke leur tournât le dos. Deux s'approchèrent, tenant leurs cahiers ouverts; entre eux ils écrasaient du patois, et je dis : — Vous n'avez donc pas classe ?

— C'est à neuf heures les jours qu'on a classe.

— Donnez voir... mais que ça saute.

Sur la dernière page des deux cahiers, en haut à gauche, Mahlke inscrivit son nom et son grade. Les gamins n'étaient pas satisfaits, il leur fallait en outre le nombre exact des blindés détruits — et Mahlke céda, écrivit, comme s'il remplissait un formulaire de mandat, en chiffres d'abord, puis en toutes lettres, et il dut encore écrire son refrain dans deux autres cahiers avec mon stylo. J'allais lui reprendre le stylo, quand un des gamins voulut savoir : « C'est-y à Bielguerott ou bien à Chitemir que vous les avez démolis ? »

Mahlke, d'un signe de tête, aurait pu avoir la paix. Mais il murmura d'une voix embarrassée : « Non, les gars; la plupart, c'était dans le secteur Kovel-Brody-Brezany. Et en avril, quand nous avons dû dégager la Première Armée Blindée près de Butchatch. »

Je dus à nouveau décapuchonner mon stylo. Les gamins voulaient tout avoir par écrit et, à coups de sifflet, ils appelèrent dans l'abri deux autres écoliers qui passaient sous la pluie. Le même dos de gamin immobile servit de pupitre. Il voulut s'étirer, offrir aussi un cahier, mais ils ne le laissèrent pas faire : il en fallait bien un pour fournir un appui. Et Mahlke, d'une écriture de plus en plus tremblée, dut s'exécuter — à nouveau, une sueur évidente lui coulait des pores — écrire Kovel et Brody-Brezany, Tcherkassy et Butchatch. Les visages brillants émettaient des questions : « Vous étiez pas aussi à Krivoïrog ? » Toutes les bouches demeuraient ouvertes. A chacune il manquait des dents. Les yeux du grand-père paternel. Les oreilles : la famille de sa mère toute revenue. Ils avaient tous des trous de nez.

— Et où c'est que vous allez p't'êt' maintenant ?

— Voyons, il a pas le droit de le dire, demande pas !

— J'te parie qu'y va pour le débarquement.

— Ou bien on le tient en réserve pour après la guerre.

— Demande-lui voir s'il a été aussi chez le Führer.

— T'as pas vu l'oncle Himmler ?

— Dis donc, tu vois pas qu'il est sous-off ?

— Vous auriez pas sur vous une photo de vous ?

— On fait collection.
— Combien que vous avez encore de permission ?
— Voui, combien encore ?
— Vous serez encore ici demain ?
— Ou bien vot' permission est finie ?

Mahlke fit la percée. Il trébucha sur des cartables. Mon stylo resta dans l'abri. Pas gymnastique sous raies obliques. Côte à côte parmi les flaques : la pluie, ça unit. Derrière le terrain de sport, pas avant, les gamins rétrogradèrent. Longtemps encore ils poussèrent des cris et n'allèrent pas à l'école. Sûrement qu'aujourd'hui encore ils veulent me rendre mon stylo.

Arrivés parmi les jardins ouvriers qui sont derrière Nouvelle-Écosse, nous essayâmes enfin de respirer plus tranquillement. J'avais la rage au ventre, et la rage faisait des petits. De l'index, je touchai le damné bonbon; c'était une invite, et Mahlke l'ôta précipitamment de son cou. Lui aussi, comme des années auparavant le tournevis, était suspendu à un lacet de soulier. Mahlke voulut me le donner, mais je refusai d'un geste : « Laisse tomber; merci pour la langouste. »

Mais il ne jeta pas le morceau de fer dans les broussailles ruisselantes, car il avait une poche-revolver.

Comment puis-je m'en tirer ? Les groscilles à maquereau, juste derrière les clôtures de fortune, n'étaient pas mûres : Mahlke, à deux mains, se mit à cueillir. Mon prétexte cherchait ses mots. Il mangeait et crachait les peaux. « Attends ici une demi-heure. Il faut absolument que tu emportes des vivres, sinon tu ne tiendras pas longtemps sur la péniche. »

Si Mahlke avait dit : « Tu reviendras, hein ? » je me serais défilé. A peine si, quand je partis, il fit un signe de tête; il cueillait à dix doigts les groseilles entre les lattes de la clôture, se bourrait la bouche, ce qui me contraignit à persévérer : la pluie unit.

Ce fut la tante de Mahlke qui ouvrit. Une bonne chose que sa mère ne soit pas à la maison. J'aurais pu passer chez nous chercher des victuailles. Mais je pensai : à quoi lui sert sa famille ? J'étais aussi curieux de voir la tante. Déception. Derrière son tablier de cuisine qu'elle était, et ne posa pas de questions. Par des portes ouvertes parvenait une odeur de quelque chose qui lime les dents : chez les Mahlke, on faisait des bocaux de rhubarbe.

« On voudrait faire une petite fête pour Joachim. Pour la boisson, on a ce qu'il faut, mais si on allait avoir faim... »

Sans mot dire, elle alla dans la cuisine chercher deux kilogs de porc en boîte, apporta aussi un ouvre-boîte. Mais pas le même que Mahlke avait récupéré sur la péniche quand il trouva dans la cambuse des boîtes de cuisses de grenouilles. Tandis qu'elle était à la cuisine et délibérait — les Mahlke avaient toujours leurs placards pleins, de la parenté à la campagne, il n'y avait qu'à prendre — j'étais debout dans le couloir, les jambes agitées, et regardais ce cadre format transverse qui montrait le père de Mahlke avec le chauffeur Labuda. La machine n'était pas sans vapeur.

Quand la tante revint avec le filet à provisions et le

papier-journal pour envelopper les boîtes, elle dit : « Et si vous voulez manger du porc en boîte, faut le faire un peu réchauffer. Sinon c'est trop lourd et ça reste sur l'estomac. »

Au cas où j'aurais demandé en partant si quelqu'un était venu demander Joachim, elle m'aurait répondu non. Mais je ne demandai rien, et dis seulement de la porte : « Bien le bonjour de la part de Joachim », bien que Mahlke ne m'eût chargé d'aucune commission, ni même pour sa mère.

Lui non plus ne fut pas curieux quand je le retrouvai planté parmi les jardins ouvriers, en uniforme, sous la même pluie; je suspendis le filet à une latte de clôture et frottai mes doigts que la ficelle avait étranglés. Il continuait à bâfrer des groseilles à maquereau pas mûres et je me crus obligé, à l'égal de sa tante, de m'inquiéter de son bien-être corporel : « Tu vas te barbouiller l'estomac », mais Mahlke, quand j'eus dit « Allons! » happa dans les arbustes la valeur de trois poignées, remplit ses poches de pantalon et, tandis que nous faisions le détour pour éviter Nouvelle-Écosse et la cité entre le Chemin du Loup et le Chemin des Ours, il crachait devant lui des peaux de groseilles à maquereau vides. Quand nous fûmes sur la plateforme arrière, dans la remorque de tramway, et que l'aérodrome fut à main gauche sous la pluie, il continua de se bourrer.

Il m'agaçait avec ses groseilles à maquereau. D'ailleurs,

la pluie devenait moins dense. Le gris devenait laiteux, ça donnait envie de descendre et de le planter là, avec ses groseilles. Je dis seulement : « Chez vous, ils ont demandé deux fois après toi. C'étaient des policiers en bourgeois. »

« Tiens ? » Mahlke continuait à cracher des peaux sur le caillebotis de la plateforme. — Et ma mère ? Elle se doute de quelque chose ?

— Ta mère n'était pas là. Il n'y avait que ta tante.

— Elle sera allée faire les courses.

— J'crois pas.

— Alors c'est qu'elle était chez les Schielke pour aider au repassage.

— Là non plus, je regrette.

— Tu veux quelques groseilles ?

— On l'a embarquée à Hochstriess. Mais je voulais pas te le dire.

Juste avant Brösen, Mahlke fut à court de groseilles à maquereau. Mais il fouillait encore ses poches trempées que nous marchions déjà sur la plage où la pluie avait imprimé son motif. Et quand le Grand Mahlke entendit claquer la mer et vit de ses yeux la Baltique, la silhouette de la péniche loin au large et, sur la rade, les ombres de quelques bateaux, il dit — et l'horizon tirait un trait en travers de ses pupilles — : « Je ne peux pas nager. » Pourtant j'avais déjà ôté mes chaussures et mon pantalon.

— Allons, ne fais pas d'histoires.

— Pour de bon, j'ai mal au ventre. Ces foutues groseilles à maquereau.

Alors je me mis à jurer et à chercher et à jurer, et trouvai dans la poche de ma veste un mark et un peu de menue monnaie. Ainsi muni, je courus à Brösen et louai chez le vieux Kreft un bateau pour deux heures. Cela ne fut pas si facile, bien que le vieux Kreft fût avare de questions et m'aidât à pousser à l'eau la barque. Quand je relançai l'avant sur le sable, Mahlke y était couché et se tordait dans son uniforme de tankiste. Je dus le pousser du pied pour le remettre debout. Il tremblait, produisait de la sueur, s'enfonçait les deux poings au creux de l'estomac; mais aujourd'hui encore je ne puis croire à ce mal au ventre, malgré l'ingestion de groseilles à maquereau pas mûres dans un estomac vide.

« Va dans les dunes, bon Dieu, vas-y! » Il marchait en zigzag, ses pieds traînants marquaient la plage, il disparut derrière l'élyme des sables. J'aurais peut-être pu voir son képi, mais je gardai les yeux sur le môle, où nul navire pourtant n'entrait ni ne sortait. Quand il revint, ce fut encore en zigzag; quand même, il m'aida pour désengraver le bateau. Je l'assis à l'arrière, lui mis sur les genoux le filet avec deux boîtes de conserves, et dans les pattes l'ouvre-boîte enveloppé de papier-journal. Quand l'eau redevint sombre après le premier, puis après le second banc de sable, je dis : « Maintenant tu pourrais voir donner quelques coups de pelle. »

Le Grand Mahlke ne secoua même pas la tête il était assis, courbé, se cramponnait à l'ouvre-boîte emmailloté et regardait droit devant lui à travers moi; car nous étions assis face à face.

Jamais depuis, jusqu'à ce jour, je ne suis remonté dans une barque à rames, et pourtant nous sommes toujours assis face à face, et ses doigts tripotent. Au cou, il n'a rien. Mais son képi est droit. Du sable marin s'écoule aux plis de son uniforme. Pas de pluie, mais son front coule. Tous les muscles crispés. Des yeux qu'on épuiserait à la petite cuiller. Avec qui a-t-il échangé son nez ? Les deux genoux instables. Pas de chat sur la mer; seulement la souris en fuite.

Avec ça, il ne faisait pas froid. Seulement quand les nuages se déchiraient et que le soleil tombait par les trous, des taches frissonnantes couraient sur la vitre assoupie et sautaient à bord de la barque. « Nage donc deux, trois coulées, ça réchauffe. » Un claquement de dents sur l'arrière me répondit et, parmi des gémissements périodiques, ces mots vinrent au monde à demi déchiquetés : « ... tout ce qu'on en a. On aurait dû me le dire avant. Quelle connerie ! Et pourtant j'aurais fait une bonne conférence. Commencé par décrire la hausse, puis l'obus à charge creuse, les moteurs Maybach, et cætera. J'étais chargeur, je devais sans arrêt ressortir et recharger, même sous le feu. J'aurais pas parlé seulement de moi. Je voulais de mon père et de Labuda. Très court : le déraillement de Dirschau. Et comme mon père au prix de sa vie. Et devant la hausse, toujours à mon père. J'étais même pas tiré d'affaire, quand il. Merci pour les cierges, cette fois-là. O toujours Pure. Toi qui dans une gloire impollue. Grâce à ton intercession. Aimable. Riche en grâces. Oui. Car dès mon engagement au nord de Koursk il fut prouvé. Et en pleine pagaïe, lors de la contre-attaque devant Orel. Et comme sur la Vorskla, en août, la Vierge. Tout le monde rigolait et ils m'ont envoyé l'Aumônier divisionnaire sur le paletot. Mais alors nous avons stabilisé le front. Malheureusement, muté dans le secteur central. Sinon, à Kharkov, pas si vite. Tout d'un coup, à Korosten, elle m'est à nouveau apparue, quand nous dégagions le quatre-vingt-dix-neuvième Corps. Jamais l'Enfant, mais la photo. Savez-vous, Monsieur le Proviseur, elle est pendue chez nous dans le couloir à côté du nécessaire à chaussures. Et Elle ne la tenait pas devant sa poitrine, mais plus bas. J'avais la locomotive en plein dans le collimateur. Je n'avais qu'à viser entre mon père et le chauffeur Labuda. Distance quatre cents. Tir à zéro. T'as vu, Pilenz, je vise toujours les tanks entre la tourelle et la coque. Ça dégage bien. Non, Elle n'a pas parlé, Monsieur le Proviseur. Mais, pour être sincère : moi, elle n'a pas besoin de me parler. Des preuves ? Je vous dis qu'oui, elle tenait la photo. Ou bien en classe de maths, quand vous faites le cours et que vous partez du principe que des droites parallèles se rencontrent à l'infini, il se produit pourtant, vous devez l'admettre, quelque chose comme une transcendance. Et il en fut de même en position d'alerte à l'est de Kasatin. Le troisième jour de Noël, du reste. Elle se déplaçait de gauche à droite en direction du boqueteau, vitesse de marche trente-cinq. Je n'avais qu'à viser dessus, viser dessus, viser. Donne deux coups à gauche, Pilenz, on s'écarte de la péniche. »

Mahlke eut l'art, pendant son schéma de conférence commencé en claquant des dents, puis poursuivi en maîtrisant ses dents, de surveiller le cours de notre barque et, par son débit, de m'imposer une cadence telle que la sueur me venait au front, tandis que chez lui les pores se tarissaient. Je n'étais pas sûr, le temps d'une coulée des avirons, qu'il ne vît pas, au-dessus des superstructures grandissantes, autre chose que les mouettes habituelles.

Avant que nous ne touchions le but, il était assis à l'arrière, très décontracté, jouait négligemment avec l'ouvre-boîte sans papier et ne se plaignait plus d'avoir mal au ventre. Il fut sur la péniche avant moi et, quand j'eus amarré le canot, ses mains travaillaient à son col; le gros bonbon qu'il avait retiré de sa poche-revolver était à nouveau collé en place. Frotter les mains, le soleil perçait, secouer les membres : Mahlke arpentait la passerelle d'un pas impérial, fredonnait à part soi un bout de litanie levait la main très haut pour saluer les mouettes et jouait au naturel l'oncle de belle humeur qui, après des années d'absence aventureuse, vient en visite, s'apporte lui-même en cadeau et veut fêter le revoir : « Ho, les enfants, vous n'avez pas du tout changé! »

J'avais du mal à entrer dans le jeu : « Vas-y, vas-y! Le vieux Kreft ne m'a loué le canot que pour une heure et demie. Il ne voulait d'abord que pour une heure. »

Mahlke trouva d'emblée un ton réaliste. « Bon. Faut pas retenir les voyageurs. Du reste, le cargo, oui, celui-là, à côté du pétrolier, est assez bas sur l'eau. J'te parie que c'est un suédois. Histoire de te mettre au courant, nous l'aborderons en canot ce soir. Dès la nuit tombée. Tâche d'arriver pour neuf heures. Je peux bien te demander ça — ou bien ? »

Naturellement, par une visibilité aussi médiocre, il était impossible d'identifier la nationalité du cargo en rade. Mahlke, avec méthode, entreprit de se déshabiller dans un flot de paroles. Il ne disait que des banalités. Un mot sur Tulla Pokriefke : « Une sacrée garce, je peux te le dire. » Ragots sur Monsieur l'abbé Gusewski : « Paraît qu'il aurait trafiqué de tissus, et aussi bazardé des nappes d'autel, ou plutôt les bons d'achat. Y a eu un contrôleur, de l'Office du Rationnement. » Puis des propos bouffons sur sa tante : « Mais faut lui laisser une chose, elle s'est toujours bien entendue avec mon père, aussi quand tous les deux étaient enfants, à la campagne. » Et crac, les vieilles histoires de la locomotive. « Du reste, tu pourras passer après dans l'Allée de l'Est pour voir, et emporter la photo avec ou sans cadre. Non, laisse-la plutôt au clou, c'est du poids mort. »

Il avait sur lui son caleçon de gym rouge qui représentait une part des traditions de notre lycée. Il avait soigneusement plié son uniforme en un paquetage réglementaire qu'il avait disposé à son ancienne place réservée, derrière l'habitacle du compas. Ses bottes étaient debout comme à l'heure du couvre-feu. Je dis encore : « Tu as tout, les boîtes ? N'oublie pas l'ouvre-boîte. » Il fit passer sa décoration de gauche à droite, récitant à bouche-que-veux-tu des scies de potache, le vieux petit jeu : « Combien de tonnes le croiseur de bataille argentin *Moreno* ? Vitesse en nœuds ? Puissance du blindage à la flottaison ? Année de construction ? Remanié quand ? Combien de cent cinquante-deux a le *Vittorio Veneto* ? »

Je répondais mollement, mais j'étais content d'avoir encore tout ce fatras en tête. — Tu prends-t-y les deux boîtes d'un coup pour plonger ?

— On va voir.

N'oublie pas l'ouvre-boîte, il est là.

— Tu prends soin de moi comme une mère.

— Ben, si j'étais toi, je descendrais maintenant doucement à la cave.

— Oui, oui. Les trucs doivent être bougrement moisis.

— Tu n'auras pas besoin d'y passer l'hiver.

— Le principal, c'est que le briquet marche encore, parce que ça ne manque pas de carburant en bas.

— A ta place, je ne balancerais pas le machin. Peut-être que là-bas tu pourras le brader comme souvenir. On ne sait jamais.

Mahlke faisait sautiller sa Chose de Fer d'une main dans l'autre. Quand il se lâcha de la passerelle et chercha pas à pas l'écoutille, il marcha en balançant par jeu les deux mains, bien que le filet où étaient les deux boîtes lui sciât le bras droit. Ses genoux levaient des vagues à l'avant. Les muscles de sa nuque et sa colonne vertébrale, le soleil ayant fait une brève réapparition, portaient une ombre à gauche.

— Y doit bien être dix heures et demie ou davantage.

— C'est pas si froid que je pensais.

— Après la pluie, c'est toujours comme ça.

— A vue d'œil : eau dix-sept, air dix-neuf.

Au large de la balise d'accostage, une drague était dans le chenal. On s'activait à bord, mais les bruits demeuraient imaginaires, parce que le vent était contre. Imaginaire aussi la gorge saillante de Mahlke; en effet, lorsque ses pieds explorateurs eurent sans doute trouvé le bord de l'écoutille, il ne me montra plus que le dos.

Sans arrêt, je me visse dans l'oreille une question de ma

fabrication : Dit-il encore quelque chose avant de plonger ? A demi-certain demeure seul ce regard en coulisse qu'il jeta par-dessus l'épaule gauche vers la passerelle. Il s'accroupit vivement pour se tremper, le rouge drapeau de son caleçon de gym scolaire se colora de rouge éteint; de la main droite, il rassembla le filet aux boîtes de conserves — mais la Chose de Fer ? Il ne l'avait pas au cou. L'avait-il discrètement jetée ? Quel poisson me la rapportera-t-il ? Est-ce qu'il jeta encore quelques mots par-dessus son épaule ? Vers les mouettes ? Contre la plage ou les rafiots de la rade ? Maudit-il des rongeurs ? Je ne crois pas entendre que tu m'aies dit : « Eh bien, à ce soir ! » La tête la première, chargé des deux boîtes de conserves, il plongea : le dos rond et le séant suivirent la nuque. Un pied blanc repoussa le vide. L'eau qui noyait l'écoutille reprit son habituel jeu d'ondes courtes.

C'est alors que je butai du pied contre l'ouvre-boîte. Je restais en arrière, l'ouvre-boîte aussi. J'aurais pu sauter aussitôt dans la barque, défaire l'amarre et partir : « Ma foi, il s'en tirera bien sans moi. » Mais je restai, comptant les secondes, je laissai à la drague, au large de la balise d'accostage, le soin de les compter pour moi, avec ses godets ambulants, courant sur chenilles, et je comptai péniblement à la suite : trente-deux, trente-trois secondes rouillées. Trente-six, trente-sept secondes de vase déblayée. Quarante et une, quarante-deux secondes mal graissées, quarante-six, quarante-sept, quarante-huit secondes durant la drague de ses godets montant, basculant, plongeant, fit ce qu'elle put; elle approfondissait le chenal d'accès au port de Neufahrwasser et m'aidait à mesurer le temps : Mahlke devait être arrivé au but et occuper, avec des boîtes de conserves, mais sans ouvre-boîte, avec ou sans ce bonbon dont la douceur était jumelle d'amertume, l'ancienne cabine-radio située au-dessus du niveau de l'eau, de l'ancien dragueur de mines polonais *Rybitwa*.

Bien que nous ne soyons pas convenus de signaux frappés, tu aurais pu frapper quand même. Encore une fois et encore une fois, je laissai la drague énumérer pour moi trente secondes. Comment dit-on ? Autant qu'un homme puisse juger, il devait... Les mouettes étaient horripilantes. Elles esquissaient des motifs de découpage entre la péniche et le ciel. Mais quand les mouettes, sans raison déchiffrable, virèrent de bord, ce fut l'absence de mouettes qui m'horripila. Et je commençai à travailler le pont-passerelle, d'abord avec mes talons, puis avec les bottes de Mahlke : la rouille sautait en placards, la fiente crayeuse des mouettes s'effritait et dansait à chaque coup. Pilenz, l'ouvre-boîte dans son poing qui frappait, criait : « Reviens, mon vieux ! Tu as laissé là-haut l'ouvre-boîte, l'ouvre-boîte... » Pause. Reprise de coups, de cris furieux, puis ordonnés selon un rythme. Pause. Malheureusement, je ne savais pas le morse, je frappai : un deux, un deux trois, un deux, un deux trois. Je m'enrouais : « Ou-vre-boîte ! Ou-vre-boîte ! »

Depuis ce vendredi-là je sais ce qu'est le silence, le silence se fait quand les mouettes virent de bord. Rien ne peut produire plus de silence qu'une drague au travail quand le vent évacue ses bruits de fer. Mais le plus grand silence fut celui de Joachim Mahlke lorsqu'il ne sut pas répondre à mon vacarme.

Donc je pris les avirons et revins. Mais avant de revenir je lançai l'ouvre-boîte en direction de la drague sans l'atteindre.

Donc je jetai l'ouvre-boîte, je pris les avirons et revins, je rendis le canot chez le pêcheur Kreft, dus payer un supplément de trente pfennigs et dis : « Je repasserai peut-être sur le soir pour reprendre le canot. »

Donc je jetai, revins, rendis, payai, voulus repasser, m'assis dans le tramway et rentrai, comme on dit, chez moi.

Donc après tout ça je ne rentrai pas tout de suite à la maison, mais je sonnai dans l'Allée de l'Est, ne posai pas de questions, mais je me fis donner la locomotive dans son cadre, car je lui avais dit, et aussi au pêcheur Kreft : « Peut-être que je repasserai sur le soir... »

Donc ma mère venait de préparer le repas de midi quand j'arrivai à la maison avec le format transverse. Un monsieur qui était quelque chose dans les territoriaux de garde à l'usine de wagons mangea avec nous. Il n'y avait pas de poisson; et pour moi, contre mon assiette, une lettre de la Région militaire.

Donc je lus, et je lus mon ordre d'incorporation. Ma mère se mit à pleurer et de la sorte plongea dans l'embarras le monsieur qui était quelque chose. « Je ne pars que dimanche soir », dis-je et alors, sans égard pour le monsieur : « Sais-tu où sont les jumelles de papa ? »

Portant ces jumelles donc, et la photo format transverse, le dimanche matin et non, comme il était convenu, le soir même, — la visibilité aurait été réduite, et il pleuvait à nouveau — je pris le tramway de Brösen, cherchai le point le plus élevé dans les dunes boisées qui bordent la place : c'était juste devant le Monument aux Morts. Je me plaçai sur le degré le plus élevé du piédestal et gardai — l'obélisque grandissait au-dessus de moi et portait une sphère dont la pluie avait lavé la dorure — une demi-heure durant, sinon trois quarts d'heure, les jumelles devant mes yeux. C'est seulement quand ma vue se brouilla complètement que j'abaissai les jumelles et regardai les buissons d'églantier.

Donc rien ne bougeait à bord de la péniche. Debout, distinctes, deux bottes vides. Une grappe de mouettes, à nouveau, palpitait au-dessus de la rouille, poudrait le pont et les chaussures; mais les mouettes, ça ne prouve rien. Sur la rade, les mêmes bateaux que la veille. Mais pas de suédois, ni même de neutre en général. La drague s'était déplacée d'une ligne à peine. Le temps promettait de s'améliorer. Je rentrai derechef, comme on dit comme ça, chez moi. Ma mère m'aida à faire ma valise en simili.

Donc je fis ma valise : la photo format transverse, ôtée du cadre, puisque tu ne soulevais pas d'objection, tout au fond. Sur ton père, sur le chauffeur Labuda, sur la locomotive de ton père, laquelle n'était pas sous vapeur, s'entassèrent mon linge de corps, le bric-à-brac habituel et mon journal qui se perdit plus tard près de Cottbus avec la photo et les lettres.

Qui m'écrira une bonne conclusion ? Car ce qui commença par le chat et la souris me tourmente aujourd'hui sous forme de grèbe huppé sur les étangs cernés de roselières. Quand je fuis la nature, les films documentaires me montrent ces habiles oiseaux d'eau. Ou bien les actualités tentent de relever des chalands coulés dans le Rhin, travaillent sous la mer dans le port de Hambourg; c'est là que vient s'engluer l'actuel : on veut faire sauter à la dynamite les docks bétonnés des chantiers Howaldt, ou récupérer des mines. Des hommes aux casques étincelants, légèrement cabossés, descendent, remontent, des bras se tendent vers eux, on dévisse le casque, ils ôtent leur casque de scaphandrier; mais jamais ce n'est le Grand Mahlke qui allume une cigarette sur l'écran scintillant du ciné; ce sont toujours d'autres qui fument.

Quand un cirque passe en ville, je lui fournis une bonne pratique. Je les connais à peu près tous, j'ai eu des entretiens privés avec tel ou tel clown, derrière la verdine; mais ces messieurs sont fréquemment dépourvus d'humour et n'avouent pas avoir entendu parler d'un collègue Mahlke.

Je dois encore dire qu'en octobre quarante-neuf je pris le train de Ratisbonne pour aller au rassemblement des survivants qui, comme toi, avaient rapporté la Croix de Fer. On ne me laissa pas entrer dans la salle. A l'intérieur, un orchestre de l'Armée fédérale jouait ou faisait la pause. Par un sous-lieutenant qui commandait le service d'ordre, je te fis appeler pendant une pause depuis l'estrade où était la musique : « Le sous-officier Mahlke est demandé à l'entrée! » — Mais tu ne voulus pas ressurgir.

IMPRIMERIE BUSSIÈRE À SAINT-AMAND (CHER)
DÉPOT LÉGAL MARS 1984. N° 6771 (119).

# Collection Points

**SÉRIE ROMAN**

R1. Le Tambour, *par Günter Grass*
R2. Le Dernier des Justes, *par André Schwarz-Bart*
R3. Le Guépard, *par G. T. di Lampedusa*
R4. La Côte sauvage, *par Jean-René Huguenin*
R5. Acid Test, *par Tom Wolfe*
R6. Je vivrai l'amour des autres, *par Jean Cayrol*
R7. Les Cahiers de Malte Laurids Brigge
*par Rainer Maria Rilke*
R8. Moha le fou, Moha le sage, *par Tahar Ben Jelloun*
R9. L'Horloger du Cherche-Midi, *par Luc Estang*
R10. Le Baron perché, *par Italo Calvino*
R11. Les Bienheureux de La Désolation, *par Hervé Bazin*
R12. Salut Galarneau !, *par Jacques Godbout*
R13. Cela s'appelle l'aurore, *par Emmanuel Roblès*
R14. Les Désarrois de l'élève Törless, *par Robert Musil*
R15. Pluie et Vent sur Télumée Miracle
*par Simone Schwarz-Bart*
R16. La Traque, *par Herbert Lieberman*
R17. L'Imprécateur, *par René-Victor Pilhes*
R18. Cent Ans de solitude, *par Gabriel Garcia Marquez*
R19. Moi d'abord, *par Katherine Pancol*
R20. Un jour, *par Maurice Genevoix*
R21. Un pas d'homme, *par Marie Susini*
R22. La Grimace, *par Heinrich Böll*
R23. L'Age du tendre, *par Marie Chaix*
R24. Une tempête, *par Aimé Césaire*
R25. Moustiques, *par William Faulkner*
R26. La Fantaisie du voyageur, *par François-Régis Bastide*
R27. Le Turbot, *par Günter Grass*
R28. Le Parc, *par Philippe Sollers*
R29. Ti Jean L'horizon, *par Simone Schwarz-Bart*
R30. Affaires étrangères, *par Jean-Marc Roberts*
R31. Nedjma, *par Kateb Yacine*
R32. Le Vertige, *par Evguénia Guinzbourg*
R33. La Motte rouge, *par Maurice Genevoix*
R34. Les Buddenbrook, *par Thomas Mann*
R35. Grand Reportage, *par Michèle Manceaux*

R36. Isaac le mystérieux (Le ver et le solitaire) *par Jerome Charyn*
R37. Le Passage, *par Jean Reverzy*
R38. Chesapeake, *par James A. Michener*
R39. Le Testament d'un poète juif assassiné, *par Elie Wiesel*
R40. Candido, *par Leonardo Sciascia*
R41. Le Voyage à Paimpol, *par Dorothée Letessier*
R42. L'Honneur perdu de Katharina Blum, *par Heinrich Böll*
R43. Le Pays sous l'écorce, *par Jacques Lacarrière*
R44. Le Monde selon Garp, *par John Irving*
R45. Les Trois Jours du cavalier, *par Nicole Ciravégna*
R46. Nécropolis, *par Herbert Lieberman*
R47. Fort Saganne, *par Louis Gardel*
R48. La Ligne 12, *par Raymond Jean*
R49. Les Années de chien, *par Günter Grass*
R50. La Réclusion solitaire, *par Tahar Ben Jelloun*
R51. Senilità, *par Italo Svevo*
R52. Trente mille jours, *par Maurice Genevoix*
R53. Cabinet portrait, *par Jean-Luc Benoziglio*
R54. Saison violente, *par Emmanuel Roblès*
R55. Une comédie française, *par Erik Orsenna*
R56. Le Pain nu, *par Mohamed Choukri*
R57. Sarah et le Lieutenant français, *par John Fowles*
R58. Le Dernier Viking, *par Patrick Grainville*
R59. La Mort de la phalène, *par Virginia Woolf*
R60. L'Homme sans qualités, tome 1, *par Robert Musil*
R61. L'Homme sans qualités, tome 2, *par Robert Musil*
R62. L'Enfant de la mer de Chine, *par Didier Decoin*
R63. Le Professeur et la Sirène *par Giuseppe Tomasi di Lampedusa*
R64. Le Grand Hiver, *par Ismaïl Kadaré*
R65. Le Cœur du voyage, *par Pierre Moustiers*
R66. Le Tunnel, *par Ernesto Sabato*
R67. Kamouraska, *par Anne Hébert*
R68. Machenka, *par Vladimir Nabokov*
R69. Le Fils du pauvre, *par Mouloud Feraoun*
R70. Cités à la dérive, *par Stratis Tsirkas*
R71. Place des Angoisses, *par Jean Reverzy*
R72. Le Dernier Chasseur, *par Charles Fox*
R73. Pourquoi pas Venise, *par Michèle Manceaux*
R74. Portrait de groupe avec dame, *par Heinrich Böll*
R75. Lunes de fiel, *par Pascal Bruckner*

R76. Le Canard de bois (Les Fils de la Liberté, I)
*par Louis Caron*
R77. Jubilee, *par Margaret Walker*
R78. Le Médecin de Cordoue, *par Herbert Le Porrier*
R79. Givre et Sang, *par John Cowper Powys*
R80. La Barbare, *par Katherine Pancol*
R81. Si par une nuit d'hiver un voyageur, *par Italo Calvino*
R82. Gerardo Laïn, *par Michel del Castillo*
R83. Un amour infini, *par Scott Spencer*
R84. Une enquête au pays, *par Driss Chraïbi*
R85. Le Diable sans porte (*tome 1 :* Ah, mes aïeux !)
*par Claude Duneton*
R86. La Prière de l'absent, *par Tahar Ben Jelloun*
R87. Venise en hiver, *par Emmanuel Roblès*
R88. La Nuit du Décret, *par Michel del Castillo*
R89. Alejandra, *par Ernesto Sabato*
R90. Plein Soleil, *par Marie Susini*
R91. Les Enfants de fortune, *par Jean-Marc Roberts*
R92. Protection encombrante, *par Heinrich Böll*
R93. Lettre d'excuse, *par Raphaële Billetdoux*
R94. Le Voyage indiscret, *par Katherine Mansfield*
R95. La Noire, *par Jean Cayrol*
R96. L'Obsédé (L'Amateur), *par John Fowles*
R97. Siloé, *par Paul Gadenne*
R98. Portrait de l'artiste en jeune chien
*par Dylan Thomas*
R99. L'Autre, *par Julien Green*
R100. Histoires pragoises, *par Rainer Maria Rilke*
R101. Bélibaste, *par Henri Gougaud*
R102. Le Ciel de la Kolyma (Le Vertige, II)
*par Evguénia Guinzbourg*
R103. La Mulâtresse Solitude, *par André Schwarz-Bart*
R104. L'Homme du Nil, *par Stratis Tsirkas*
R105. La Rhubarbe, *par René-Victor Pilhes*
R106. Gibier de potence, *par Kurt Vonnegut*
R107. Memory Lane, *par Patrick Modiano*
*dessins de Pierre Le Tan*
R108. L'Affreux Pastis de la rue des Merles
*par Carlo Emilio Gadda*
R109. La Fontaine obscure, *par Raymond Jean*
R110. L'Hôtel New Hampshire, *par John Irving*
R112. Cœur de lièvre, *par John Updike*